KB156532

THE ADVANCED VENTILATOR BOOK

한글판

옮김 박명재
경희대병원 호흡기내과

William Owens, MD

The Advanced Ventilator Book 한글판

첫째판 1쇄 인쇄 | 2021년 5월 14일
첫째판 1쇄 발행 | 2021년 5월 28일

지 은 이 William Owens
옮 긴 이 박명재
발 행 인 장주연
출 판 기 획 김도성
책 임 편 집 안경희
편집디자인 조원배
표지디자인 김재욱
제 작 담 당 이순호
발 행 처 군자출판사(주)
등록 제4-139호(1991. 6. 24)
본사 (10881) **파주출판단지** 경기도 파주시 회동길 338(서패동 474-1)
전화 (031) 943-1888 팩스 (031) 955-9545
홈페이지 | www.koonja.co.kr

* 파본은 교환하여 드립니다.
* 검인은 저자와의 합의하에 생략합니다.

ISBN 979-11-5955-705-7
정가 20,000원

THE ADVANCED VENTILATOR BOOK

한글판

내가 지난 수 년간 가르칠 수 있는 특권을 가졌던 전임의, 전공의, 의대생, 간호사, 호흡치료사들에게 이 책을 바칩니다. 의학은 예술(art)도 과학(science)도 아니며 오히려 공예(craft)에 가깝습니다. 공예는 탁월함(excellence)에 대한 장인의 헌신을 필요로 합니다. 다음번의 사람을 위해 값을 미리 계산하는 것(paying it forward)은 거래의 하나입니다. 이 책은 내가 중환자의학에 대해 배운 것을 다음 세대와 공유하려는 노력입니다.

책을 쓰는 것은 쉬운 일이 아니며, 의사가 되는 일도 아닙니다. 아내이자 동료 모험가인 로리엔의 사랑과 격려가 없이는 할 수 없는 일이었습니다.

목차 CONTENTS

서론(Introduction)

01 산소공급과 산소소모(Oxygen Delivery and Consumption) · 1

02 허용적 고탄산혈증(Permissive Hypercapnia) · 21

03 중증호흡부전의 7가지 법칙(Seven Rules For Severe Respiratory Failure) · 31

04 호기말양압, 더 높은 호기말양압 그리고 최적의 호기말양압(PEEP, More PEEP and Optimal PEEP) · 39

05 중증기관지연축(Severe Bronchospasm) · 61

06 복와위자세와 신경근차단제(Prone Positioning and Neuromuscular Blockade) · 79

07 흡입폐혈관확장제(Inhaled Pulmonary Vasodilators) · 93

08 정맥-정맥간 체외막산소화요법(Veno-Venous ECMO) · 105

09 새벽 2시(2 A.M.) · 121

10 대유행 또는 다수사상자 발생 시 기계환기(Mechanical Ventilation during a Pandemic Or Mass Casualty Event) · 137

유용한 지식이 포함된 부록

참고문헌

저자에 대하여

역자 후기

서론 Introduction

*"The Ventilator Book"*은 학생, 전공의, 간호사, 호흡치료사를 위한 안내서이다. 기계환기에 대해 빠르게 찾아보고 쉽게 읽을 수 있는 개요를 쓰는 것이 목표였다. 독자들의 반응을 보면 *"The Ventilator Book"*을 쓰면서 계획했던 목표는 잘 달성되었다고 확신한다.

*"The Advanced Ventilator Book"*은 전편인 *"The Ventilator Book"*을 참고하여 형식과 구조는 동일하게 유지하면서 독자들을 한 단계 끌어올리는 것을 목표로 썼다. 이 책은 중환자치료에 어느정도 경험은 있지만 중증호흡부전환자의 치료방법에 대한 지침을 원하는 임상의사들을 위해서 쓴 책이다. 나는 이 책의 독자들이 기계환기의 기본적인 원리, 중증질환 또는 손상의 병태생리를 잘 이해하고 있다는 가정하에 이 책을 썼다. 처음 두 장은 기본으로 돌아가서 산소공급에 대한 개요와 허용적 고탄산혈증(permissive hypercapnia)의 개념을 다뤘다. 그 다음으로 호기말양압의 적정(titration), 중증기관지연축환자의 치료, 복와위자세(prone positioning)와 치료목적의 신경근차단제, 흡입산화질소 및 흡입프로스타사이클린, 정맥-정맥 체외생명유지장치(veno-venous extracorporeal life support), 그리고 이 모든 것을 통합한 치료전략의 순서대로 기술하였다.

*The Ventilator Book*의 한 가지 특징은 실용성에 대한 강조였다. 많은 교과서와 논문들이 특정한 환기모드나 특정치료법의 근거를 기술하고 있지만, 독자들에게 실제로 어떻게 해야 하는지를 알려주는 책은 비교적 드물었다. *The Ventilator Book*과 마찬가지로 *The Advanced Ventilator Book*

도 임상의사들에게 여러 원리들을 어떻게 진료에 적용하는지에 대해 도움이 되는 단계별 지침을 제공한다.

*The Ventilator Book*에서 강조했던 것과 마찬가지로 *The Advanced Ventilator Book*에서도 완치(cure)보다는 보조(support)와 폐보호(lung protection)에 중심을 두고 설명을 계속해나간다. 따라서 약속된 마법의 총알은 당연히 없다. 왜냐하면 존재하지 않기 때문이다. 중증호흡부전환자에서 시행하는 기계환기에 의해 손상이 동반될 가능성이 아주 높으므로 이 책에서는 각 장의 주제와 더불어 예방 가능한 손상을 피하는 것에 대해도 강조해서 설명했다. 중환자의학의 대부분은 태생적으로 보조적(supportive)인 성격을 갖고 있으며 급성호흡부전의 치료도 예외는 아니다.

01

산소공급과 산소소모

Oxygen Delivery and Consumption

호흡기학 및 중환자의학의 여러 교과서들을 보면 "산소는 생명에서 가장 필요하고 또 기본적인 구성요소이다"라는 문구로 시작한다. "응급상황에서의 생명을 구하는 가장 필수적인 조치는 가능한 빨리 고유량(high-flow)의 산소를 공급하는 것"이라고 수련 중에 배운다. 또한 응급실과 중환자실에서는 맥박산소측정기의 SaO_2를 90% 이상(보통은 95% 이상) 유지하는 것을 매우 강조하고 있다. 마찬가지로 PaO_2도 정상범위인 90-100 mm Hg 이내로 유지해야 한다는 강박관념이 있다.

얼핏 보면 이 같은 접근법에는 아무런 문제가 없다. 실제로 산소는 생명을 유지하기 위해 꼭 필요하며, 저산소혈증을 피하는 것이 소생술의 핵심분야이다. 그러나 중증호흡부전환자를 치료할 때 정상적인 PaO_2를 유지하는 것이 불가능하거나 아니면 해로울 정도로 높은 기도압을 적용해야만 적절한 PaO_2를 유지할 수 있는 경우가 있다. 따라서 호흡부전환자의 적절한 치료를 위해서는 산소공급과 산소소모에 대해 보다 완전한 이해가 필요하다.

산소함유량(Oxygen Content, CaO_2)

헤모글로빈 1 g은 완전히 포화되면 1.34 mL의 산소와 결합할 수 있다. 또한 소량의 산소는 혈장에 용해된 형태로 운반되며 이를 대표하는 것이 PaO_2이다. 혈장 내 산소의 용해도계수는 0.003이다. 이 모든 것을 종합하면 다음과 같은 산소함유량방정식(oxygen content equation)이 나온다.

$$\mathbf{CaO_2 = 1.34 \times Hgb \times SaO_2 + [PaO_2 \times 0.003]}$$

정상 헤모글로빈 15 g/dL, SaO_2 100% 그리고 PaO_2 100 mm Hg인 상태에서 동맥혈의 산소함유량은 20.4 mL O_2/dL *(참고: 20.4=1.34x15x1.0 + 100x0.003)*이다. 산소함유량 중 용존산소(PaO_2 x 0.003)가 기여하는 부분이 매우 적다는(혈액 1 dL에 O_2 0.3 mL)점을 유의해야 한다. 즉 산소함유량의 98.5%는 헤모글로빈에 결합한다. 따라서 산소함유량 중 용해산소가 차지하는 비율은 무시할 정도이다. 그러므로 인공호흡기의 FiO_2를 높여 PaO_2를 100 mm Hg에서 최대 500 mm Hg (SaO_2를 100%로 유지)까지 높이더라도 혈액 1 dL에 단지 O_2 1.2 mL *(참고: 1.2=[500-100]x0.003)*의 산소함유량이 추가될 뿐이다.

따라서 헤모글로빈의 적절한 산소포화를 위해 필요 이상으로 PaO_2를 높게 유지하는 것은 중증빈혈(Hgb < 5 g/dL) 또는 고압산소치료 시를 제외하고는 별다른 의미가 없다. 실제로, 산소함유량(oxygen content)과 산소전달(oxygen delivery)을 조금 더 간단히 계산하기 위해 PaO_2는 종종 무시된다. 산소와 관련된 첫 번째 규칙은 다음과 같다: **중요한 것은 SaO_2이지 PaO_2 가 아니다**.

산소전달(Oxygen Delivery, DO_2)

일단 동맥혈에 산소가 채워지면, 산소는 조직으로 전달되어 대사과정에 이용된다. 분당 순환되는 혈액의 양을 심박출량(cardiac output, CO)이라고 하며 리터(혈액)/분의 단위로 표시된다. 산소함유량(CaO_2)은 데시리터(dL)단위로 표시되기 때문에 10을 곱하여 리터단위로 변환한다. 그러면 다음과 같은 산소전달방정식(oxygen delivery equation)이 만들어진다.

$$DO_2 = CO \times CaO_2 \times 10$$

정상 심박출량이 5 L/min라면 DO_2는 1020 mL O_2/분 *(참고: 1020=5x20.4x10)*이다. 키와 체중이 서로 다른 여러 환자들을 비교하기 위해, DO_2를 체표면적으로 나누어 지수화할 수 있다. "전형적인" 체표면적은 1.7 m^2이므로 "전형적인" DO_2I는 1020/1.7 또는 600 mL O_2/min/m^2가 된다.

산소전달(oxygen delivery)에 가장 큰 영향을 주는 것은 심박출량이다. 동맥저산소혈증 상태이더라도 심박출량이 증가되면 조직에 필요한 양의 산소를 충분히 전달할 수 있다. 아래 표는 심한 빈혈이나 저산소혈증 상태라도 심박출량이 증가되면 산소전달에 긍정적인 영향을 줄 수 있다는 것을 보여준다. 또한 저산소혈증보다는 빈혈이 오히려 산소전달에 더 큰 영향을 주고 있는 것도 보여준다. 아래 표에서 계산을 단순화하기 위해 PaO_2는 생략했다. 다음이 산소와 관련된 두 번째 규칙이다: **심박출량의 증가는 저산소혈증을 상쇄할 수 있다.**

산소전달의 변화(Changes In Oxygen Delivery)

CO	Hgb	SaO_2	DO_2
3 L/min	15 g/dL	100%	603 mL O_2/min
8 L/min	7 g/dL	100%	750 mL O_2/min
5 L/min	15 g/dL	100%	1005 mL O_2/min
8 L/min	15 g/dL	75%	1206 mL O_2/min

산소소모(Oxygen Consumption, VO_2)

안정상태에서 우리 몸의 산소소모량(VO_2)은 약 200-250 mL O_2/min이다. 그리고 단위체표면적(m^2)당 안정 시 VO_2I는 120-

150 mL O_2/min/m^2이다, 정상인에서 최대운동 시 VO_2는 안정 시 VO_2에 비해 최고 10배 정도까지 증가할 수 있으며, 국가대표 운동선수들의 경우에는 안정 시에 비해 VO_2가 최고 20-25배까지도 증가할 수 있다. 패혈쇼크, 다기관손상 또는 화상과 같은 중증 질환에서 VO_2는 안정 시와 비교할 때 약 30-50%가 증가한다.

조직의 산소소모량(VO_2)은 장기에 따라 다르다. 뇌와 심장은 전달된 산소를 가장 많이 소모하는 반면 머리카락, 뼈, 손톱은 무시할 정도 밖에 소모하지 않는다. 또한 장기에 따라 다른 양의 심박출량을 공급받기 때문에 장기별 산소소모량은 더욱 복잡해질 수 있다. 예를 들어 전달된 산소의 대부분을 소모하는 뇌는 전체 혈액량의 15%를 공급받는다. 반면에 관상동맥순환에는 전체 심박출량의 5%에 불과한 혈액양이 공급되나 전달된 산소 중 소모되는 비율은 훨씬 높다. 다행히도 이런 것이 임상의사들에게는 별로 중요하지 않은데 그 이유는 장기별 산소공급(oxygen delivery)과 산소소모(oxygen consumption)를 국소적으로 모니터링하는 것은 실험실의 동물에서나 가능하기 때문이다. 반면에 전신 VO_2는(total body VO_2) 폐동맥카테터를 사용하여 측정하거나(조금 더 정확함) 아니면 중심정맥산소포화도($ScVO_2$)와 경식도 심초음파 등 비침습적인 방법으로 측정한 심박출량을 조합하여(덜 정확함) 비교적 쉽게 계산할 수 있다. 이 방법들은 호기가스 중 산소함유량을 직접 측정하는 방법보다는 정확하지는 않지만 임상적인 목적으로 사용하기에는 충분할 정도로 정확하다.

폐동맥의 혼합정맥산소포화도(SvO_2)를 측정하면 정맥산소함유량(venous oxygen content, CvO_2)을 다음과 같이 계산할 수 있다.

$$CvO_2 = 1.34 \times Hgb \times SvO_2 + [PvO_2 \times 0.003]$$

동맥산소함유량방정식과 마찬가지로 용존산소(dissolved oxygen, 이 경우 PvO_2)가 산소함유량에 기여하는 정도는 미미하여 계산에서 생략할 수 있다. 따라서 헤모글로빈 15 g/dL, SvO_2가 정상인 75%라면 정맥산소함유량은 15.1 mL O_2/dL이다. 동맥과 정맥의 산소함유량의 차이는 보통 3-5 mL O_2/dL이다.

그런 다음 VO_2는 동맥-정맥산소의 차이에 심박출량을 곱하고 단위를 변환하여 다음과 같이 계산할 수 있다.

$$VO_2 = CO \times [CaO_2 - CvO_2] \times 10$$

이 공식을 확장하면 다음과 같다.

$$VO_2 = CO \times [(1.34 \times Hgb \times SaO_2) - (1.34 \times Hgb \times SvO_2)] \times 10$$

재배열(및 단순화)하면:

$$VO_2 = CO \times 1.34 \times Hgb \times (SaO_2 - SvO_2) \times 10$$

이 경우 심박출량은 5 L/min이고 VO_2는 250 mL O_2/분이다. 표준적인 체표면적을 1.7 m^2로 계산하면, 단위체표면적(m^2)당

VO_2I는 147 mL O_2/min/m^2이다.

DO_2와 VO_2를 함께 사용(Using The DO_2 and VO_2 Together)

DO_2 또는 VO_2를 각각 분리해서 이해하는 것은 그다지 유용하지 못하다. 임상적으로 문제가 되는 것은 체내소모량(consumption requirement)을 충족시키는데 필요한 적절한 공급(delivery)이 이뤄지는가에 대한 것이다. 이 질문에 답하는 것에는 DO_2:VO_2비가 유용하다. 정상인 상태에서는 휴식이나 운동에 관계없이 심박출량의 변화에 의해 DO_2:VO_2비는 약 4:1에서 5:1이 계속 유지된다. 이와 같이 공급의 비율이 4-5배 높은 것은 일종의 예비력을 제공함을 의미한다. 즉 어떤 주어진 시간 안에서 체내에 꼭 필요한 양의 산소만 간신히 공급된다면 생존이라는 측면에서 볼 때 그다지 유용하지 못할 것이다. 만약 이와 같은 생리학적인 예비력이 없으면 외부의 공격을 피해 전력 질주해야 하는 상황이나 고열, 폐색전증 같은 급격한 병태생리적 상황을 이겨낼 능력이 없다는 것을 의미하는 것이다.

다음 페이지의 그래프를 우측에서 좌측으로 이동할 때, VO_2는 일정하게 유지되나 DO_2의 변동폭은 클 수 있다. 이는 앞서 언급한 생리학적 예비성을 반영한다. 그러나 DO_2가 계속 감소하면 산소공급량(DO_2)이 감소함에 따라 산소소모량(VO_2)도 감소하기 시작하는 지점에 이를 수 있다. 이 지점을 생리학에서는 저산소역치(hypoxic threshold), 무산소역치(anaerobic threshold, AT)

또는 위험한 산소공급량(critical DO_2, DO_2crit)이라고 부른다. 이 지점부터 예비력(reserve)은 소진되고 산소공급(DO_2)이 감소함에 따라 산소소모(VO_2)도 줄어들게 된다. 무산소역치 또는 그 아래쪽에서 대사(혐기성대사)가 오래 지속되면 환자는 심각한 산성에 빠지게 되고 대부분의 경우는 생존하기 어렵다.

무산소역치(anaerobic threshold, AT)는 DO_2:VO_2비가 1:1일 때 발생하는 것이 타당할 것이다. 그러나 실험실적으로 무산소역치는 DO_2:VO_2=2:1에 가깝고, 이는 여러 다른 장기의 산소소모량이 다양하기 때문이다. 머리카락, 치아, 뼈에 공급되는 심박출량은 생명과 더 관계된 장기(vital organ)의 필요를 충족시키는데 별로 기여하지 못한다.

DO_2:VO_2 관계

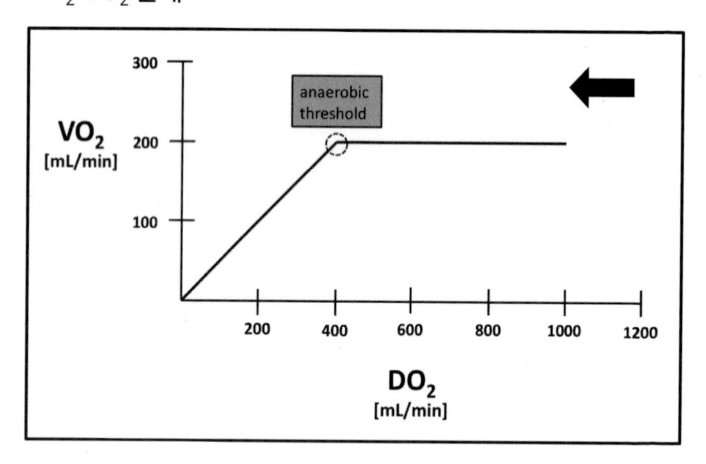

수학적으로 DO_2:VO_2 비율은 다음과 같다.

$$DO_2:VO_2 = \frac{CO \times 1.34 \times Hgb \times SaO_2 \times 10}{CO \times 1.34 \times Hgb \times (SaO_2 - SvO_2) \times 10}$$

공통인자를 없애면 방정식을 크게 단순화할 수 있다.

$$DO_2:VO_2 = \frac{\cancel{CO} \times \cancel{1.34} \times \cancel{Hgb} \times SaO_2 \times \cancel{10}}{\cancel{CO} \times \cancel{1.34} \times Hgb \times (SaO_2 - SvO_2) \times \cancel{10}}$$

$$DO_2:VO_2 = \frac{SaO_2}{(SaO_2 - SvO_2)}$$

만약 SaO_2가 100%라고 가정하면 DO_2:VO_2비와 SvO_2는 상관관계를 보인다.

DO_2:VO_2	SvO_2
5:1	80%
4:1	75%
3:1	67%
2:1	50%

이러한 상관관계를 통해 임상적으로 DO_2:VO_2비를 쉽게 추정할 수 있다. 이는 폐동맥카테터를 이용해 SvO_2를 직접 그리고 연속적으로 측정할 수 있기 때문이다. 폐동맥카테터가 없는 경우 내경정맥이나 쇄골하정맥에 삽입된 중심정맥라인의 검체로 정맥혈가스를 검사해 중심정맥산소포화도($ScVO_2$)를 측정할 수 있

다. 이때 $ScvO_2$는 보통 SvO_2보다 5-8% 정도 높다. 폐동맥카테터를 통해 측정한 SvO_2의 실측치 만큼은 정확하지 않지만 $ScvO_2$를 측정하면 DO_2:VO_2비를 어느정도 추정할 수 있다.

DO_2:VO_2비의 대리지표(surrogate)역할을 하는 SvO_2는 환자의 산소소모량에 대해서 산소공급량이 부족한지를 확인할 때 사용할 수 있다. 또한 SvO_2는 DO_2와 VO_2의 연속적인 계산을 요구하지 않는다는 장점도 있다. 산소공급량(DO_2)과 산소소모량(VO_2)간의 관계에 어떠한 변화도 측정된 SvO_2에 반영된다. 그러므로 산소소모량에 비해 산소공급량이 감소하면 SvO_2도 감소한다. 따라서 SvO_2가 70% 미만인 경우에는 환자상태를 반드시 평가해야 하며 SvO_2가 60% 미만이면 환자가 무산소역치(anaerobic threshold, AT) 상태인 것이 확실하다.

DO_2방정식을 복습해보면, 산소공급의 장애는 최소한 1)심박출량저하, 2)빈혈 또는 3)저산소혈증 중 한 가지 이상이 원인이다. 이 문제들을 교정하면 DO_2가 증가하고 결과적으로 SvO_2도 증가한다. DO_2에는 심박출량이 가장 큰 영향을 주는데 울혈심부전, 저혈당, 출혈쇼크, 심장탐포네이드와 같은 상황들은 모두 심박출량을 감소시킨다는 것을 명심하라. 이것은 우리를 산소의 세 번째 규칙으로 인도한다. **저혈류량(low-flow) 상태에서는 SvO_2가 낮다.**

DO_2 및 VO_2와 함께 SvO_2 를 사용한다.

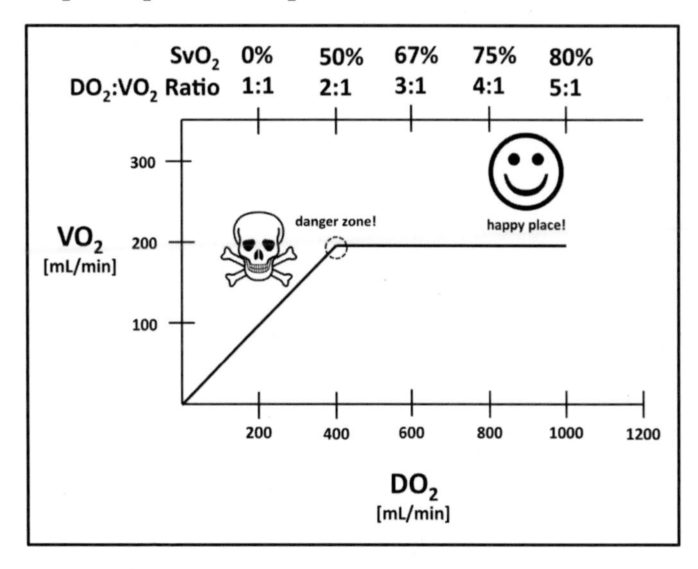

중증호흡부전환자에서 교정되지 않는 저산소혈증이 있을 수 있다. 만약 DO_2:VO_2비가 계속 일정(AT의 좌측과 같이)하면 SaO_2가 감소함에 따라 SvO_2도 감소한다. SaO_2가 현저하게 감소한 상태이더라도 산소추출률(oxygen extraction ratio)을 계산해보면 산소공급(DO_2)과 산소소모(VO_2)사이의 균형을 빠르게 추정할 수 있다.

$$O_2ER = \frac{SaO_2 - SvO_2}{SaO_2}$$

정상 SaO_2는 100%이고 SvO_2가 75%인 경우에

$$O_2ER = \frac{1.0-0.75}{1.0} = \frac{0.25}{1.0} = 0.25 \text{ 또는 } 25\%$$

이는 공급된 산소 중 25%가 조직으로 전달되어 소모되었다는 것을 의미한다. 따라서 정상 O_2ER는 20-25%이다.

예를 들어 SaO_2 84%, 측정된 SvO_2 60%인 중증호흡부전환자를 생각해 보자. 위의 그림에 따르면 SvO_2가 이 정도로 낮으면 걱정되는 상태이다. 이때 산소추출률을 계산하면:

$$O_2ER = \frac{0.84-0.60}{0.84} = \frac{0.24}{0.84} = 0.286 \text{ 또는 } 28.6\%$$

O_2ER의 정상범위가 20-25%인 것을 감안할 때 28.6%는 약간 높지만 아주 높은 것은 아니다. 그런데 SaO_2 100%인 상태라고 가정하고 산소추출률을 색인(indexing)하면 SvO_2 71.4%에 해당함을[†] 알 수 있다.

두 번째 예로 SaO_2 86%, 측정된 SvO_2 49%인 중증호흡부전환자를 살펴보자. 산소추출률을 계산하면:

$$O_2ER = \frac{0.86-0.49}{0.86} = \frac{0.37}{0.86} = 0.43 \text{ 또는 } 43\%$$

만약 SaO_2가 100%라면 SvO_2 57%정도에 해당하며[†], 심박출량이 감소된 상태인 것은 확실하다. O_2ER이 30% 이상이라면 반드시 원인을 검토해야 하며, O_2ER이 40%를 넘는 경우 환자상태는 무산소역치(anaerobic threshold, AT)에 가까운 상태에 있음을

의미한다. 산소의 네 번째 규칙: **DO_2:VO_2 비율, SvO_2 및 O_2ER는 산소전달과 산소소모의 균형을 반영한다. 그러나 이것들은 치료를 위한 특정목표는 아니다.**

---

† 역자주:

$$O_2ER = \frac{VO_2}{DO_2} = \frac{(SaO2\text{-}SVO_2)\times(1.34\times Hgb\times CO)}{SaO_2\times(1.34Hgb\times CO)} = \frac{SaO_2\text{-}SvO_2}{SaO_2}$$

만약 SaO_2= 100% 즉 1.0이면 $O_2ER=\frac{1\text{-}SvO_2}{1}=1\text{-}SvO_2$

SaO_2=100%일 때 SvO_2를 색인하면 $SVO_2 = 1\text{-}O_2ER$

SaO_2 84%인 첫 번째 증례에서 O_2ER=0.286이므로

SaO_2가 100%라고 가정하면 이때 SvO_2=1-0.286=0.714 (71.4%정도)에 해당한다.

SaO_2 86%인 두 번째 증례에서 O_2ER=0.43이므로

SaO_2가 100%라고 가정하면 이때 SvO_2=1-0.43=0.57 (57%정도)에 해당한다.

그렇다면, 얼마나 많은 산소가 실제로 필요한가? (So, How Much Oxygen Is Really Needed?)

유감스럽게도 생리학자 그리고 임상 알고리즘의 작성자(writer of clinical algorithms)들에게 단순히 SvO_2가 70% 이상 유지되면 모든 것이 잘될 것이라고 말하는 것은 의미가 없다. 이는 중환자의학과 관련된 의학논문에 익숙한 사람이라면 그다지 놀랄 일은 아니다. 이런 저런 생리학적 조작을 시행했던 여러 연구결과에서 단순히 SvO_2를 70% 이상 유지하면 모든 것이 잘 된다는 생각은 잘못된 것이라는 사실을 일관성있게 증명하였다. 산소전달, 산소소모, 스트레스 반응 및 세포적응의 복합적인 과정들을 이번

장에서 요약하기에는 너무 복잡하며 모든 상황에 적용될 수 있는 알고리즘은 없다.

해수면에서 대기호흡 시 정상 PaO_2는 90-100 mm Hg 정도이지만, 사람은 훨씬 더 낮은 산소분압에서도 오래동안 견딜 수 있다. 생존을 위해 필요한 최소 PaO_2와 SaO_2는 알려져있지 않으며, 또 어떤 IRB에서도 중환자에서 보조적인 산소투여 중단을 목표로 하는 연구를 승인을 해줄 것 같지도 않다. 환자가 견뎌낼 수 있는 저산소혈증의 한계 또한 매우 다양하며, 환자의 나이, 동반질환의 상태, 생활환경, 유전적 요인, 생리학적 스트레스를 대처하는 능력 등의 요인에 따라 달라진다. 현재까지 알려진 것은 어떤 사람들은 중등증 그리고 심지어 중증저산소혈증에서 살아남을 수 있다는 것이다. 다음과 같은 사실을 명심하라.

- 심근 및 골격근의 미토콘드리아 PO_2는 일반적으로 1~5 mm Hg이다.
- 미토콘드리아의 산화인산화반응(oxidative phosphorylation)은 PO_2가 0.1~1 mm Hg까지 낮아져도 중단되지 않는다.
- 에베레스트산 등반 중 서로의 대퇴동맥에서 채취한 동맥혈가스검사 결과에서 PaO_2가 24~28 mm Hg였지만 무사히 생환하였다.
- 패혈쇼크(septic shock)의 문제는 산소공급이 부족하지는 않다는 것이다. 문제는 전달된 산소를 조직에서 제대로 대사에 이용할 수 없는 것이다. 그래서 환자들의 SvO_2가

80% 이상인데도 불구하고 사망한다. 그 이유는 아직 잘 (매우) 모른다.

- ARDSNet의 여러 임상연구에서 55 mm Hg (SaO_2는 88%) 정도로 낮은 PaO_2 까지는 허용 가능한 것으로 받아들여지고 있다. 이것이 아마도 이 주제에 대해 도출해낼 수 있는 전향적 근거 중 최선일 것이다.
- ARDSNet 임상연구에서 일회호흡량을 크게 설정한 환자군이 산소화정도는 더 좋았지만 사망률 또한 더 높았다. 이는 산소화상태를 개선하는 것보다 폐손상을 예방하는 것이 더 중요함을 시사한다.
- 기계환기 환자들에서 여러가지 다양한 개입(interventions)을 통해 산소화(oxygenation)는 개선됨이 관찰되었으나 생존율(survival)의 향상은 관찰되지 않았다.

젖산염(lactate) 수치를 이용하여 산소공급(oxygen delivery)이 적절한지를 판단하는 것은 매력적인 방법이지만, 이것 역시 한계가 있다. 흔히 추측하고 있는 것처럼 중증질환에서 발생하는 대부분의 젖산염은 혐기성대사에 기인한 것이 아니다. 혐기성대사가 젖산염 생성 원인은 아니고 당분해(glycolysis) 및 포도당신생성(gluconeogenesis)과정이 변형 또는 손상된 상태에서 파이루브산염(pyruvate)의 증가가 그 원인이다(파이루브산염은 젖산염으로 대사된다). 젖산염(lactate)은 아드레날린에 의한 흥분상태에서 심근세포(cardiac myocytes)가 선호하는 에너지원으로써 유산소세포호흡(aerobic cellular respiration)에 의해 생성된다. 따라서 젖산염은 생리적스트레스(physiological stress)의 비특이적인 표지자(nonspecific marker)로 보아야 한다. 삽관, 수액보충 등을 시행한 후 젖산이 감소되면 환자가 치료에 반응하고 있다는 것을 의미할 뿐이다. 젖산염의 감소가 기존의 혐기조직에서 유산소대사(aerobic metabolism)가 회복되고 있다는 것을 의미하지는 않는다. 마찬가지로, 젖산염이 증가하는 경우 환자상태가 교감신경계의 활성화와 코티솔에 의한 스트레스 반응이 증가되고 있음을 알 수 있다. 산소공급을 늘리는 것이 상황에 따라 도움이 될 수도 있고 그렇지 못할 수도 있다. 이는 환자의 기본적인 상태에 달려 있다.

이 같은 개념은 산소의 다섯 번째 규칙으로 이어진다: **SaO_2, SvO_2, O_2ER, 젖산염은 모두 정보의 조각에 불과하며, 그 자체가 목표는 아니다. 어떠한 치료방법을 결정하기 전에 소변량, 말초관류, 의식상태(mentation) 및 기타 임상정보들이 함께 고려되어야 한다.**

산소독성(Oxygen Toxicity)

보충적 산소투여, 특히 고농도의 산소투여가 갖고 있는 독성의 가능성에 대한 우려는 새로운 것이 아니다. 높은 FiO_2는 신생아에서의 망막병증 및 기관지폐이형성증(bronchopulmonary dysplasia)과 관계있다. 또한 성인의 경우 급성심근경색과 이로 인해 심정지가 발생한 상황에서 고산소증(hyperoxia)은 더 나쁜 결과가 나온다는 증거가 있다. 높은 FiO_2는 성인에서 기관-기관지나무(tracheobronchial tree)를 자극하고 또 흡수무기폐(absorption atelectasis)를 유발할 수 있다(질소가스의 안정화 효과가 없어진 상태에서 산소가 흡수되면 폐포허탈이 발생하기 때문이다).

감염, 염증, 조직재관류(tissue reperfusion) 등의 상태에서는 활성산소(reactive oxygen species)가 증가됨이 실험연구 결과에서 증명되었다. 산화파괴(oxidative burst)는 염증의 한 요소이며 감염에 대한 숙주반응의 일부일 수 있기 때문에 이것의 임상적 의미는 불분명하다. 실험실에서 활성산소는 세포손상과 세포자멸사(apoptosis)를 유발할 수 있지만, 체내에서 활성산소는 염소 또는 다른 이온과 빠르게 결합하게 되므로 이들의 영향은 감소된다. PaO_2 자체가 어느 정도의 역할을 나타내는지도 완전히 이해하지 못하고 있으며, 또 산화파괴(과산소증에서만 발생하는 것이 아니고)는 어떤 종류의 유산소상태에서도 염증이나 재관류의 일부로써 발생할 수 있는 것도 사실이다.

임상적으로 의미 있는 산소독성이 어느정도 인간에게 발생하는지 잘 알지 못하며, 또 PaO_2 역할 자체 또한 불분명하다. 그러나 우리가 독성이 있는 줄 모른다고 독성이 발생하지 않는 것은 아니다. 그렇다면 가장 안전한 처방은 다른 약과 마찬가지로 산소를 환자에게 필요한 만큼만 주는 것이다. 적절한 비유는 패혈쇼크에서 노레피네프린(norepinephrine)을 투여할 때와 같다. 정상 평균동맥압(mean arterial pressure)은 93 mm Hg이지만 장기의 관류에는 65 mm Hg 정도의 평균동맥압으로도 충분하다. 따라서 이 정도의 동맥압이면 충분하기 때문에 이 정도로 낮은 동맥압에 유지하는데 필요한 정도의 노레피네프린을 적정량 투여한다. 더 높은 "정상적인" 동맥압을 목표로 하려면 더 많은 양의 노레피네프린이 필요하게 되며, 이때 환자는 오히려 손상의 위험에 노출된다(허혈성 손가락, 발가락, 내장기관의 혈관수축, 후부하의 증가에 의한 심기능저하 등).

고산소증(hyperoxia)을 피하는 것은 쉽고, 이는 FiO_2를 줄임으로써 가능하다. 정상산소증(normoxia) 조차도 필요치 않을 수 있으며, 환자가 높은 FiO_2나 흡기압 등에 노출되는 것을 피하기 위해 허용적 저산소혈증(permissive hypoxemia)을 어느 정도 용인하는 것이 현명한 결정일 수 있다. 산소포화도보다 심박출량이 산소공급에 훨씬 더 큰 영향을 준다는 점을 잊지 말아야 하겠고, SaO_2와 PaO_2를 엄격하게 정상치로 유지하는 것보다는 산소공급의 적절성 또는 부적절성의 징후를 파악하는데 집중해야 한다. 이와 같은 접근방식은 산소의 여섯 번째이자 마지막 규칙으로 인도한다: **환자에게 필요한 만큼의 산소를 공급하라. 그러나 그것은 생각보다 적을지도 모른다.**

산소의 여섯 가지 법칙(Six Rules of Oxygen)

1. 중요한 것은 SaO_2이지 PaO_2가 아니다.

2. 심박출량이 증가되면 저산소혈증을 상쇄할 수 있다.

3. 저유량상태(low flow state)에서 SvO_2는 낮다.

4. DO_2 : VO_2비율, SvO_2 및 O_2ER는 산소전달(oxygen delivery)과 산소소모(oxygen consumption)의 균형을 반영한다. 그러나 이것들이 치료를 위한 특정목표는 아니다

5. SaO_2, SvO_2, O_2ER, 젖산염은 모두 정보의 조각에 불과하며 그 자체가 목표는 아니다. 어떠한 치료방법을 결정하기 전에 소변량, 말초관류, 의식상태(mentation) 및 기타 임상정보를 함께 고려해야 한다.

6. 환자에게 필요한 만큼의 산소를 공급하라. 그러나 그것은 생각보다 적을지도 모른다.

02

허용적 고탄산혈증

Permissive Hypercapnia

기계환기 환자에서 폐손상이 발생할 정도로 인공호흡기를 높게 설정하는 것보다는 호흡산증이 발생하거나 또는 호흡산증 상태를 유지하도록 허용하는 치료법을 허용적 고탄산혈증(permissive hypercapnia)이라고 한다. 이번 장의 목적상 "허용적 고탄산혈증(permissive hypercapnia)은 $pH<7.35$이면서 $PaCO_2>45$ mm Hg인 상태"로 정의한다. 이 개념은 저일회호흡량(low tidal volume)과 $PaCO_2$가 높은 상태에서 생존유익(survival benefit)을 입증한 2개의 임상연구를 통해서 Hickling 등이 처음으로 주장하였다.[1,2] 이 연구들은 ARDS네트워크 연구자들이 수행한 기념비적인 ARMA연구를 포함해 저일회호흡량환기(low tidal volume ventilation)의 우수성을 입증한 여러가지 후행연구들에 많은 영향을 주었다. 이 주제를 다룬 대부분의 임상연구는 ARDS에서 저 일회호흡량(4-6 mL/kg PBW)의 효과에 중심을 두었다. 허용적 고탄산혈증(permissive hypercapnia) 그 자체의 유익과 위험에 대한 연구는 적지만, 중증호흡부전환자에게 경증 또는 중등증의 호흡산증을 허용하는 것은 몇 가지 이점이 있을 수 있다.

허용적 고탄산혈증이 폐내 효과들(Pulmonary Benefits of Permissive Hypercapnia)

고탄산혈증(hypercapnia)에 대한 일차적인 근거는 정상적인 가스교환을 유지하는 것보다 인공호흡기유발 의인성폐손상(iatrogenic ventilator induced lung injury)을 피하는 것이 더 중요하다는 것이다. 정상폐포의 과다팽창은 세포손상을 초래하며, 이를 용적손상(volutrauma)이라고 한다. 이것이 인공호흡기유발 폐손상(ventilator-induced lung injury, VILI)의 1차적인 기전이며 팽창압(압력손상)과는 독립적이다. ARDS 환자를 대상으로 한 ARMA연구에서 일회호흡량을 4-6 mL/kg, PBW 적용한 군에서 12 mL/kg, PBW을 적용했던 군에 비해 사망률이 감소하는 결과가 확인되었다.[3] 더욱이 저일회호흡량군에서는 가스교환 상태가 나빠졌음에도 불구하고 이러한 결과가 나왔다. 또한 천식지속상태(status asthmaticus)에서 일회호흡량과 호흡수를 낮추면 호흡산증이 유발될 수 있지만 동적과팽창(dynamic hyperinflation), 기흉, 그리고 종격동기종(pneumomediastinum)을 예방할 수 있

다. 따라서 폐손상을 피하는 것이 "정상폐포환기"(normal alveolar ventilation)를 성취하는 것보다 훨씬 더 중요하다고 생각되기 때문에 허용적 고탄산혈증을 수용할 수 있다고 생각된다.

현재의 통상적인 치료방침은 ARDS에서 저일회호흡량의 사용을 강조하기 때문에 호흡산증을 교정하려고 일회호흡량을 증가시키는 경우는 거의 없다. 대신에 호흡수를 조정하여 분당환기량을 늘리거나 또는 줄인다. 대부분의 경우 인공호흡기의 호흡수를 증가시키면 CO_2의 배출이 증가되며 pH가 정상화될 수 있다. 그러나 산소상태가 적절히 유지되는 한 환자는 심한 호흡산증에서도 견딜 수 있기 때문에 호흡수를 증가시키는 것과 같은 조치는 필요하지 않을 수 있다.[4] 게다가, 이처럼 흔히 사용되는 방법(즉, 호흡수의 증가)은 오히려 해로울 수도 있다. 호흡수를 늘리면 손상된 폐포단위의 주기적인 개폐도 반드시 증가된다. 분당 20회로 설정된 환자는 분당 12회로 호흡하고 있는 환자보다 하루 11,520회의 더 많은 기계호흡을 하게 된다. 비록 작겠지만 매번의 호흡주기가 인공호흡기유발폐손상(VILI)의 발생에 기여할 수 있는 잠재적인 위험이 있다. 실험실 연구결과에서도 인공호흡기의 호흡수를 가능하면 낮게 설정할 것을 지지한다. 그러나 이런 개념을 검증하기 위해서는 사람에서의 전향적 연구가 필요하다. 따라서 아직 근거자료가 없는 현재 상황에서, 경증 또는 중등증의 호흡산증을 교정하기 위해 일상적(routinely)으로 기계호흡수를 증가시킬 필요가 있는지에 대해서는 의문을 갖는 것이 합리적이다.

허용적 고탄산혈증의 폐외 효과들(Extrapulmonary benefits of permissive hypercapnia)

허용적 고탄산혈증이 폐외 효과들을 확인하기 위해 진행된 무작위 전향적 임상연구는 없다. 동물에서 진행된 실험연구가 몇 개 있는데, 고탄산혈증(hypercapnia)은 유리산소기(free oxygen radical) 생산, 심근손상, 뇌허혈 등에 유익한 효과를 보였다.[6] 이와 같은 염증사이토카인(inflammatory cytokine)과 산화손상(oxidative injury)의 감소는 다발장기부전을 줄일 수 있으며 특히 ARDS 환자 대부분의 사망원인이 호흡부전이 아닌 다발장기부전이기 때문에 이와 같은 결과는 의미가 있다.

전신마취 상태의 건강자원자를 대상으로 진행된 연구에서 통제된 고탄산혈증(controlled hypercapnia)은 심박출량과 조직산소화를 모두 증가시키는 것으로 나타났다.[7] 중증ARDS환자를 대상으로 한 연구에서도 일회호흡량의 감소로 발생한 고탄산혈증(hypercapnic acidosis)에서 심박출량 및 전신산소전달의 증가 소견이 관찰되었다.[8] 그렇지만 동일 연구에서 우심실기능과 혈류역학의 악화도 동시에 관찰되었다. 또한 지주막하출혈과 뇌혈관연축(cerebral vasospasm) 환자를 대상으로 한 연구에서 통제된 고탄산혈증(controlled hypercapnia)은 두개내압(intracranial pressure)의 과도한 상승없이 뇌혈류를 증가시키는 결과를 보여주었다.[9] 이 같은 결과들은 기계환기 진료지침을 바꿀 정도로 충분한 근거는 아니지만, 기계환기 중 호흡산증이 해롭다고 속단하는 것과는 반대되는 소견이다.

완충(Buffering)

ARMA 연구 및 이어서 진행된 ARDS 네트워크 후속 연구에서, pH ≥7.15를 유지하기 위해 완충수액(buffering fluids)의 투여가 허용되었다. 산혈증을 치료할 때 종종 중탄산나트륨($NaHCO_3$)이 사용되지만 몇 가지 단점이 있다. 일반적인 상황에서 중탄산염 음이온(bicarbonate anion)은 탄산탈수효소(carbonic anhydrase)에 의해 CO_2와 H_2O로 변환된다.

$$CO_2 + H_2O \leftrightarrow H_2CO_3 \leftrightarrow H^+ + HCO_3^-$$

이 반응에 의해 발생하는 과잉CO_2의 제거는 일반적인 상황에서는 문제가 되지 않는다. 한두 번의 호흡이면 충분히 제거할 수 있기 때문이다. 그러나 중증호흡부전인 상황에서는 과잉 CO_2의 제거가 불가능할 수 있어서 중탄산나트륨 투여 후 오히려 pH가 떨어질 수 있다. 더구나 CO_2는 세포막(CSF 포함)을 통해 자유롭게 확산되지만 HCO_3는 그렇지 못하다. 이로 인해 중탄산나트륨의 투여 후 전신 pH는 상승해도 세포내 pH는 오히려 떨어지는(즉, 산성화되는, paradoxical intracellular acidosis) 효과가 나타난다. 중탄산나트륨의 일회 주입(예: 한 앰플투여) 후 일시적인 혈류역학적 개선이 종종 나타나지만, 이는 pH의 변화보다는 소듐(sodium)공급에 의해 발생한 것일 가능성이 더 높다. 왜냐하면 고장식염수(hypertonic saline)를 일시(bolus)주사할 때도 이와 유사한 효과가 관찰되기 때문이다. 1앰풀(50 mL)에 들어있는 $NaHCO_3$

는 8.4%로 고농도의 소듐용액(hypertonic sodium solution)이라는 점을 기억하라.

THAM (Tris-hydroxymethethyl aminomethane)은 $NaHCO_3$와 달리 폐포환기에 의존하지 않고 직접 완충효과를 나타내는 H+이온완충제(direct H+ion buffer)이다. 이것은 또한 세포막을 자유롭게 통과하여 세포내 완충작용도 나타낸다. 따라서 고탄산산증(hypercapnic acidosis)에 더 효과적인 완충제가 될 수 있지만, THAM의 효능에 대한 임상자료는 거의 없다. 더구나 이 책을 쓰고 있는 현재 THAM을 언급할 필요가 없다. 그 이유는 THAM을 생산하던 유일한 제조업체가 생산을 중단하였기 때문이다.

기계환기 중에 발생하는 호흡산증을 완충(buffering)해야 할 필요가 있는지는 논쟁의 여지가 있다. pH가 상승하면 허용적 고탄산혈증(즉, 용적손상을 예방하기 위한 것 이상의 탄산혈증)의 효과라고 알려진 것들이 사라질 수 있다. 또한 중탄산나트륨의 투여는 앞에서 설명한 바와 같은 약간의 부작용이 발생할 수 있으며, 현재 임상적으로 사용 가능한 비-탄산나트륨완충제(non-bicarbonate buffers)는 없다. 더구나 산혈증은 간기능과 신기능을 보호하는 효과가 있을 수 있으며, 전신산혈증은 산소-헤모글로빈 해리곡선을 오른쪽으로 이동시켜 조직으로의 산소공급량을 증가시킨다. 그러므로 pH ≥ 7.15를 유지하기 위해 흔히 완충제를 투여하고 있지만 검증되지 못한 치료법이다. 따라서 완충제 치료효과에 대한 연구결과가 나올 때까지는 다음과 같은 원칙을 유지하는 것이 좋겠다. 환자가 탄산혈증에 의해 악영향을 받고 있다는 것이 확실해질 때까지는 완충제 투여를 유보하는 것이 임상의사의 사려 깊은 행동이다.

허용적 고탄산혈증(Permissive hypercapnia)의 단점

앞서 언급한 이점에도 불구하고 중환자의 허용적 고탄산혈증(permissive hypercapnia)에는 단점도 있다. 가장 널리 알려진 것은 고탄산혈증(hypercapnia)과 두개내압(intracranial pressure) 상승의 상관관계다. 고탄산혈증(hypercapnia)은 뇌혈관을 포함 혈관확장(vasodilation)을 유발한다. 이로 인해 뇌조직에 산소전달이 증가될 수는 있지만, 이는 또한 뇌내혈액량(intracerebral blood volume)도 증가시킨다.[9] 만약 두개내 유순도(intracranial compliance)가 감소되어 있다면, 뇌내혈액량이 증가함에 따라 두개내압이 높아질 수 있다. 두개내압의 상승정도에 따라 위험할 수도 있고 그렇지 않을 수도 있지만, 위험성은 분명히 고려해야 한다. 만일 뇌손상이 심한 환자에서 고탄산혈증이 불가피하다면, 반드시 두개내압 감시를 고려해야 한다.

급성 또는 만성폐동맥고혈압이 동반된 환자에서, 고탄산혈증(hypercapnia)은 폐동맥압의 상승과 우심실기능장애를 유발할 수 있다. 이 중 상당 부분은 기저폐질환이 원인이지만, 혈류역학적 기능장애가 확인된 경우에는 $PaCO_2$를 낮추는 것이 좋을 수 있다.

고탄산혈증(hypercapnia)의 기타 전신효과는 $PaCO_2$ 자체의 영향보다는 고탄산혈증의 결과인 산증과 더 관련이 있다. 이와 같은 것들에는 심근수축장애, QT간격 연장, 전신혈관저항감소,

고칼륨혈증등이 포함된다. 이 같은 상태가 발생하였는데 호흡산증을 교정하기 위한 인공호흡기의 설정이 폐손상을 유발할 정도라면 완충제를 투여해야 할 근거가 된다.

미세세포(microcellular) 수준에서, 고탄산혈증(hypercapnia)은 조직의 나이트로화반응(tissue nitration)과 과산화질산염(peroxynitrate) 생산의 증가와 연관되어 있다. 생리학적으로 스트레스가 있는 상태에서 이와 같은 유리기(free radical)가 방출되면 조직손상을 매개(mediate)할 수 있다.[10] 그러나 이것의 임상적 의미는 아직 잘 모른다. 고탄산혈증에서 세균감염에 대한 중성구활동이 약화되는데, 이는 항생제 투여로 극복할 수 있다.[11]

요약 및 권장사항(Summary and Recommendations)

허용적 고탄산혈증(permissive hypercapnia)은 ARDS나 천식 또는 COPD와 같은 폐쇄성기도질환에 의한 중증호흡부전환자에서 인공호흡기유발폐손상(VILI)을 줄이기 위해 적용하는 검증된 치료전략이다. 간단히 말하자면, "정상적인 상태"의 가스교환을 달성하는 것보다는 의인성폐손상(iatrogenic lung injury)을 예방하는 것이 더 중요하다는 것이다. 허용적 고탄산혈증(permissive hypercapnia)이 용적손상(volutrauma)의 예방을 넘어서 어느 정도의 임상적 장점을 갖고 있는지 아직은 잘 모르지만, 기존 문헌들은 이런 것이 사실임을 시사하고 있다.

허용적 고탄산혈증(Permissive hypercapnia)에서 가장 중요한 점

- 일회호흡량에 주목한다. ARDS에서는 4-6 mL/kg PBW의 일회호흡량이 추천되며 폐쇄성기도질환에서는 6-8 mL/kg PBW가 추천된다. 이 기준을 넘어설 경우 인공호흡기유발폐손상(VILI)의 위험성이 증가할 수 있다.

- 빠른 호흡수는 pH를 높이고 $PaCO_2$를 낮추게 하나 손상으로 취약한 폐포단위의 반복적인 개폐(open & closure)가 추가적인 손상(atelectrauma)을 유발할 수 있기 때문에 오히려 해로울 수 있다.

- 중증질환에서 산혈증 그 자체는 혈류를 증가시키고 조직에 산소공급을 증가시키는 유익한 효과가 있을 수 있다.

- pH를 넘어서 확인해야 할 것 - 산혈증이 두개내고혈압(intracranial hypertension), 폐동맥고혈압, 심근수축장애, 불응고칼륨혈증(refractory hyperkalemia), 전신저혈압 등과 같은 문제들을 일으키면 완충제를 투여하거나, 호흡수를 높게 설정하고, 필요에 따라 대체환기법(alternative ventilation strategies) 등을 고려한다.

03

중증호흡부전의 7가지 법칙

Seven Rules For Severe Respiratory Failure

하나

양압환기법은 보조적(Supportive)이며, 치료효과(Therapeutic)도 있겠지만 완치적(Curative)인 것은 아니다.

기계환기법이 없다면, 중증호흡부전환자들은 의심할 여지없이 사망할 것이다. 양압환기는 폐단락을 줄이고 가스교환을 개선하며 회복될 때까지 환자의 호흡일을 대신할 수 있다. 그렇다고 해서 호흡부전을 일으킨 기저질환이나 질병과정을 되돌이키는데 인공호흡기가 무엇이든 다 할 수 있다는 뜻은 아니다.

"안타깝게도 의사들은 그 누구보다도 일련의 사건 중 하나를 그것의 결과라고 착각할 가능성이 높다.

- 사무엘 존스

둘

환자에게 어쩔 수 없는 것 이상의 손상을 주지 마라.

현대 중환자의학이 등장한 이후 인공호흡기유발폐손상(VILI)은 필요악으로 인식되어 왔으며, 인공호흡기에 의한 어떠한 폐 손상의 위험까지도 완벽히 제거하는 것은 비현실적이다. 그렇지만, 가스교환 목표를 "정상적인 상태"의 가스교환으로 하거나 생리학적 지표들을 "최적의 결과"가 나오게 하려고 할 때 인공호흡기유발폐손상(VILI)이 많이 발생하기 때문에 이것은 사실 불필요한 악이다. 중증호흡부전일 때 인공호흡기유발폐손상(VILI)의 위험은 가장 높고 또 기계환기의 효과를 보게 될 가능성은 적다. PaO_2 65 mm Hg정도에서도 생명을 유지하기에는 충분한데 PaO_2를 95 mm Hg까지 올리기 위해 환자의 폐에 손상을 주는 것은 적절하지 못하다. 환자를 보조하는 데 필요한 최소한의 개입에 집중하는 것이 결국에는 도움이 될 가능성이 훨씬 높다.

"질병에 대해서 두 가지 습관을 갖도록 하라- 환자를 돕거나 아니면 최소한 해를 끼치지 않는 것."

- 히포크라테스

셋

'정상치'는 창밖으로 던져버려라.

가능하다고 뭐든지 하려고 하지 말고 꼭 필요한 것만 하도록 하라. "정상적인 상태"의 가스교환의 꿈을 쫓는 경우에 인공호흡기유발폐손상(VILI)은 틀림없이 발생하게 되고 불필요한 치료적 중재를 하게 되며, 이 모든 것들은 매우 실제적이고 또 원치 않는 부작용을 동반하게 된다. 특히 중증호흡부전에서 두 가지 목표는 1) 환자상태를 유지하고, 2) 추가 손상의 위험을 최소화하는 것이다. 환자상태를 유지하는 것이 분명히 더 중요한 목표이고, 이를 달성하기 위해 때로는 매우 높은 압력으로 인공호흡기를 설정해야 할 필요가 있을 것이다. 그럼에도 환자를 실제적인 또는 잠재적인 손상에 노출시키는 그 어떤 것들에는 정당한 이유가 있어야 한다. 그리고 이것이 중환자를 돌보는 데 있어서 가장 어려운 부분이 될 수 있다. 우리 모두는 "정상치"가 무엇인지 배웠고, 또한 이 모든 것(즉 검사치, 생리적인 측정치, 활력징후들)을 다시 정상 범위로 복귀시키려면 무엇이라도 해야 한다는 유혹을 우리 모두 직면하고 있기 때문이다.

'선입견이나 고정관념은 대포(canon)보다 더 큰 손상을 일으킬 수 있다.'

- 바르바라 터흐만

넷

새로운 시도(Experiment)에 두려움을 갖지 마라….

우리는 임상연구와 진료지침을 치료의 근거로 사용하지만, 한 환자에서 효과가 있는 것이 반드시 다른 환자에서도 효과가 있을 수 없다. 더구나, 최중증의 손상이나 질환이 있는 중환자치료에 대한 근거의 양은 적다. 그러므로 기꺼이 다른 방법을 시도해보려는 용기와 또 어떤 특정치료의 효과가 없을 때 이를 인정하는 능력도 필요하다. 이런 경우 기존의 프로토콜(protocol)과 임상경로(clinical pathway)는 환자가 직면한 문제를 해결하기 위해 의사들이 새로운 방법을 시도해보는 것을 제약할 수 있다는 점에서 오히려 해로울 수 있다.

"우리가 하는 대부분의 추정(assumption)은 생각보다 훨씬 더 쓸모 없다."

- 마샬 맥루한

다섯

…그러나 두려워 말고 현재의 치료 경과를 유지하라.

다른 치료법을 시도해보는 것이 필요할 수도 있다. 그러나 현재 인공호흡기의 설정이 환자에게 적절한 상태인데도 임상의사들은 검사결과수치를 좋게 하기 위해 경로 변경의 유혹을 받는 경우가 종종 있다. 이런 경우 대개는 큰 이익 없이 오히려 해로울 가능성이 많으므로 피해야 한다. 그러나 손상의 위험을 낮추기 위해서나 또는 현재의 설정으로 적절한 생명보조기능을 제공하지 못하는 상황이라면 어떻게든 설정을 변경해야 한다. 의학문헌에는 산소화, 환기 그리고 활력징후들을 개선시키는 치료법이 넘쳐난다는 점을 명심하라. 그러나 이것들 중 실제로 결과가 더 좋은 것으로 판명된 경우는 극히 드물다.

" 어려움이란 결국 극복해야만 하는 것에 불과한 것이다."

- 에른스트 섀클턴

여섯

조기에 기관절개술을 시행하자.

중증호흡부전환자의 치료에는 많은 시간과 노력이 드는 것처럼 보인다. 이 경우 수일 내 회복될 가능성은 낮고 최소 몇 주 또는 몇 달 동안 어느정도 기계환기보조의 필요성이 상당히 높다는 것을 의미한다. 이와 함께 안정제 요구량의 증가, 기관내삽관 중인 상태와 동반된 부동화(immobilization) 등을 연관해서 생각하면 기관절개술을 빨리 할수록 환자는 어느정도 운동까지 할 수 있고 또 재활치료도 빨리 시작할 수 있다는 것은 명백하다. 기관절개술을 시행하는 경우 기관삽관에 비해 진정제요구량이 더 적어지고, 환자의 편의성은 더 좋아지며 조기에 운동을(mobilization) 시작할 수 있고, 그리고 인공호흡기 치료일수가 감소한다. 안전하다고 판단되면 바로 시행하자.

" 당신은 병들었으나 지금은 이제 회복됐고, 그리고 해야 할 일이 있다.

- 쿠르트 보네거트

일곱

끝까지 긍정적으로 생각해라.

대부분의 호흡부전 환자들, 심지어 중증ARDS 환자라도 결국은 회복될 것이다. ARDS에서 생존한 환자들은 대부분 6-12개월 내에 폐기능이 거의 정상으로 회복하게 된다. 장기간의 기관절제술의 유지가 필요한 심폐질환이나 신경질환을 앓고 있는 환자라고 하더라도 수용할 수 있는 삶의 질을 누릴 수 있을 정도로 회복될 수 있다. 중환자실에서 1, 2주 동안 입원한 환자를 "인공호흡기 의존적(ventilator-dependent)"이라고 규정하거나 "회복 가능성이 없다(no chance of recovery)"라고 말하는 것은 시기상조이거나 심지어 잘못된 것일 수도 있다. 통제되지 않은 낙관주의는 적절하지 못하지만, 비관적인 허무주의 또한 옳지 않다.

어떤 상태는 회복할 수 없다. 또 어떤 상태는 회복할 수도 있으며 심지어 어느 정도 회복 가능성이 있지만, 환자에게 심각한 장애가 남아 부분적 또는 전적인 기계환기보조가 필요할 수도 있을 것이다. 마지막으로 어떤 상태에서는 생존할 수 있고, 장기간의 중환자치료와 기계환기보조가 필요하겠지만, 완전히 독립적인 생활을 할 수 있을 정도로 회복될 수 있는 기회가 있을 것이다. 그 어떤 것도 보장할 수는 없지만 분명한 것은 호흡부전환자를 돌보는 임상의사는 어떤 시나리오가 가장 가능성이 높은 지를 판단하고, 이를 환자와 그의 가족에게 제시할 수 있어야 한다.

일단 치료계획이 결정되면 임상의사는 긍정적인 전망을 견지하는 것이 필수적이다. 환자와 그의 가족들은 지도와 격려를 받을 것이며, 특별히 좌절되는 상황이나 불운한 날들이 계속될 때는 더욱 그러할 것이다. 치료 중 가장 중요한 것은 개방적이고 솔직한 소통이다. 완화의료나 호스피스로의 이행이 적절한 경우가 있는데, 이는 회복이 불가능하거나, 새로운 또는 심각한 합병증이 발생한 경우, 그리고 심각한 장애나 수용할 수 없는 삶의 질이 예상되고 또 치료성공 가능성은 낮아서 환자가 계속 치료하는 것을 원치 않는 경우 등이다. 이런 상황이 되면 환자와 그의 가족에게 평화롭고 편안한 죽음을 제공하는 것이 임상의사의 핵심적인 역할이다. 그러나 일시적이고 회복할 수 있는 문제도 있을 수 있다(예를 들어 적절히 치료될 때까지 전적인 기계환기보조를 다시 해야 하는 폐렴의 발병). 이때 임상의사는 환자를 격려하고 수용

가능한 정도의 삶의 질까지 회복할 수 있도록 치료의 궁극적인 목표에 계속 집중해야 한다.

"태도는 작은 것이나 엄청난 차이를 가져온다."

- 윈스턴 처칠

04

호기말양압, 더 높은 호기말양압 그리고 최적의 호기말양압

PEEP, More PEEP and Optimal PEEP

기계환기 중 호기말양압(PEEP)은 폐포의 개방(patency)을 유지하여 산소화(oxygenation)를 개선하기 위해 적용된다. 인공호흡기가 호흡을 전달하면 기도압은 최고기도압(또는 최고흡기압)까지 상승한다. 호기(expiration)는 수동적인 과정이며 기도압이 대기압(즉, 0기압)과 같아질 때까지 호기가스를 내쉬게 되는데 만약에 호기말양압이 설정된 경우에는 기도압이 사전에 설정된 호기말양압과 같아지면 인공호흡기는 호기류(expiratory flow)를 중단한다. 이것은 마치 커다란 선풍기로 폐 안에 공기를 불어넣고 있는 상황에서 숨을 내쉬는 것과 비슷하다. 호기말양압으로 가압된 공기는 부목(splint)의 역할을 하여 기도와 폐포의 개방을 유지하게 하고 따라서 호기말양압이 없으면 폐포는 허탈(collapse)상태에 빠지게 된다. 이것을 통상적인 기계환기에서는 호기말양압(PEEP)이라고 한다. 그리고 자발 및 비침습기계환기(non-invasive ventilation, NIV)에서는 이것을 지속적기도양압(continuous positive airway pressure, CPAP)이라고 한다. 그러나 이 두 가지 모두 생리학적 효과는 같기 때문에 본질적으로 같은 말이다.

PEEP은 환자의 산소화상태를 좋게 하기 위해 가장 흔하게 적용되고 또 조정된다. 저산소호흡부전(hypoxemic respiratory failure)에서 PEEP의 일차적인 효과는 단락비(shunt ratio)-즉 관류는 되지만 환기가 되지 않는 폐 부위-를 감소시키는 것이다. 폐부종, 폐포출혈, 폐렴 등의 원인으로 폐포내삼출(alveolar flooding)이 많을수록 허탈에 빠진 폐포단위(lung unit)를 개방하기 위해서 더 높은 PEEP이 필요하다. PEEP 초기설정의 대략적인 가이드로써 환자의 흉부X선 소견을 사용할 수 있다.

응급실 또는 ICU에서 PEEP의 초기설정(Initial PEEP Settings in the Emergency Department or ICU)

Chest X-Ray	Initial PEEP
Clear	5 cm H_2O
Scattered Infiltrates	10 cm H_2O
Diffusc Dense Infiltractcs	15 cm H_2O
Bilateral White Out	20 cm H_2O

대부분의 저산소호흡부전(hypoxemic respiratory failure) 환자

는 5-10 cm H_2O 범위의 PEEP으로 비교적 쉽게 치료할 수 있다. 그러나 중등도 또는 중증급성호흡곤란증후군(ARDS)환자들은 좀 더 집중적인 치료법이 필요할 수 있다. 인공호흡기유발폐손상(VILI)의 위험을 최소화하면서 최상의 산소화(oxygenation)와 유순도를 유지할 수 있는 PEEP을 설정하는 것을 "최상의 PEEP (best PEEP)" 또는 "최적의 PEEP (optimal PEEP)"이라고 알려져 있다. 개개인 환자에서 "최적의 PEEP"을 찾는 수많은 임상적접근법이 의학문헌에 기술되어 왔으며, 각각의 방법 모두에는 지지자와 비방꾼이 있다. 예상할 수 있는 것처럼, 각각의 방법에는 장단점이 있고, 그 어떤 방법이 다른 방법보다 우위에 있지도 않다(만약 그렇지 않다면 우리 모두 가장 좋은 방법을 사용하고 나머지 다른 방법들은 무시했을 것이다). 다음에 최적의 PEEP을 찾는 방법들을 차례로 설명하겠다.

ARDSNet 계산표(ARDSNet Tables)

ARDSNet 임상연구에 사용되었던 계산표는 산소화에 대한 단순성(simplicity)과 적정성(titratability)의 이점이 있으며, 이는 동맥혈가스나 맥박산소측정기로 쉽게 측정할 수 있다. 두 개의 계산표-높은 PEEP 계산표(higher PEEP table)와 낮은 PEEP 계산표(lower PEEP table)-가 발표되었다. ALVEOLI 연구에서 이 두 가지 계산표의 치료효과를 일대일로 비교하였는데 폐보호일회호흡량(lung-protective tidal volume)인 4-6 mL/kg PBW를 적용하는 경우에는 어떤 계산표를 적용하여 PEEP을 설정하더라도 치료 결과가 다르지 않았다.[12] 이 같은 결과는 의사들에게 실제적인 이점이 있다. 즉 환자의 상태에 따라 어떤 계산표든지 사용할 수 있기 때문이다. 병적인 비만이나 복부구획증후군(abdominal compartment syndrome)이 있는 환자는 흉벽의 유순도가 감소되어 있어서 높은 PEEP 계산표(higher PEEP table)를 적용하는 것이 유리할 수 있다. 또한 ARDS로 인해 유순도가 감소한 상태에서 폐가 외부적인 요인으로 압박을 받을 때는 폐포의 허탈과 폐포모집 후 재허탈(derecruitment)을 예방하기 위해 반드시 높은 PEEP 계산표를 적용한다.

반면에 다음과 같은 환자에서는 낮은 PEEP 계산표(lower PEEP table)의 적용이 더 좋을 수 있다. 기관지흉막루(bronchopleural fistula)가 있는 환자, 또는 혈류역학장애(tenuous hemodynamics)가 있는 환자, 또는 한쪽 폐가 다른 쪽 폐보다 현저히 많이 손상되어 있는 환자 그리고 높은 PEEP 계산표를 적용했을 때 더 악화될 수 있는 환자들이다. 높은 PEEP 계산표가 낮은 PEEP 계산표보다 더 우수하다는 것이 입증되지 않았기 때문에, 임상의사는 환자에게 더 잘 맞는 것으로 판단되는 PEEP 계산표 중 하나를 선택할 수 있다.

ARDSNet PEEP 계산표의 사용(Using the ARDSNet PEEP Tables)

- PEEP은 cm H_2O로 측정됨

- PaO_2 55-80 mm Hg 또는 SpO_2 88-94%를 유지하기 위해 필요에 따라 테이블을 위아래로 이동

Lower PEEP Table

FiO_2	PEEP
30%	5
40%	5
40%	8
50%	8
50%	10
60%	10
70%	10
70%	12
70%	14
80%	14
90%	14
90%	16
90%	18
100%	18
100%	20
100%	22
100%	24

Higher PEEP Table

FiO_2	PEEP
30%	5
30%	8
30%	10
30%	12
30%	14
40%	14
40%	16
50%	16
50%	18
50%	20
60%	20
70%	20
80%	20
80%	22
90%	22
100%	22
100%	24

PEEP점감법(Decremental PEEP Trial)

PEEP점감법은 일단 CPAP모집법(CPAP recruitment maneuver)을 이용하여 환자의 폐를 가능한 최대한으로 모집한 다음 단계적으로 호기말양압(PEEP)을 점감(decremental) 시키면서 어느 정도의 PEEP에서 산소화(oxygenation)상태나 유순도 또는 두 가지 모두가 갑자기 악화되는지를 관찰하는 것이다. 이 방법은 환자 옆에서 쉽게 시행할 수 있다는 장점이 있다. 또한 산소화(oxygenation) 상태를 맥박산소측정기로도 쉽게 확인할 수 있고, 또 대부분의 인공호흡기는 정적과 동적 호흡기계유순도(static and dynamic respiratory system compliance)를 보여준다.*

PEEP점감법(Decremental PEEP Trial)은 다음과 같이 시행한다. **모집(Recruit), PEEP낮춤(Reduce) 및 모집(Recruit)**의 순서로 진행하게 된다는 것을 기억하자.

1) 환자가 충분히 진정되었는지 확인한다. 환자의 자발호흡 노력이 심하지 않으면 신경근차단제(neuromuscular blockade)는 필요하지 않다.

---

* 유순도(compliance) = $\frac{\Delta \text{Volume}}{\Delta \text{Pressure}}$

동적유순도(Dynamic compliance) = $\frac{\text{일회호흡량}}{[\text{최대흡기압}-\text{PEEP}]}$

정적유순도(static compliance) = $\frac{\text{일회호흡량}}{[\text{고원압}-\text{PEEP}]}$

2) 인공호흡기의 FiO_2를 100%로 설정한다.
3) 압력지지(pressure support)를 설정하지 않은 상태에서 인공호흡기의 CPAP을 40 cm H_2O로 설정하고 이 상태를 40초 동안 유지한다(40 for 40; CPAP 40 cm H_2O for 40 Sec). 이 과정이 모집법(recruitment maneuver)이다.
4) 모집법(recruitment maneuver)을 시행한 다음, 만일 기계환기모드를 용적제어(volume control) 모드로 하는 경우에는 일회호흡량을 6 mL/kg PBW으로 설정한다. 그러나 만일 기계환기모드를 압력제어(pressure control) 모드로 설정하면 흡기압(driving pressure)을 15 cm H_2O로 설정한다. 그리고 어떤 모드에서도 PEEP은 20 cm H_2O로 설정한다. 이 때 환자의 유순도를 기록해둔다.
5) SpO_2가 88-94%로 떨어질 때까지 매 5-10분마다 FiO_2를 한 번에 10-20%씩 감소시킨다.
6) 일단 SpO_2가 88-94%인 FiO_2가 결정되면 다음으로 매 5-10분마다 PEEP을 2 cm H_2O씩 낮춰보면서 SpO_2가 88% 이하로 떨어지거나 또는 유순도가 현저하게 떨어지는 수준의 PEEP을 확인한다. 두 가지 변화 중 어떤 것이라도 관찰되면 재허탈(derecruitment)상태가 발생했음을 의미한다.
7) 모집법(recruitment maneuver)을 다시 한 번 시행(40 for 40)한 다음 모집이 중단(재허탈이 발생)된 수준-즉 6)과정에서 결정된 PEEP-보다 2 cm 높게 PEEP을 설정하면 된다.

PEEP점감법(Decremental PEEP Trial)의 단점은 적절하게 시행하는데 시간이 많이 걸리고, 고용량의 진정제 투여가 필요하고 또 모집법(recruitment maneuver) 시행 중 혈류역학이나 호흡장애 발생의 가능성 등이 있다. 임상연구에서 PEEP점감법(Decremental PEEP Trial)으로 산소화와 폐유순도는 개선할 수 있었지만 생존에는 어떤 유익도 입증하지 못했다. 중환자실에서 기계환기를 시행하고 있는 모든 환자들에게 이 방법을 적용하는 것은 적절하지 못할 수 있다. 그러나 중증도 또는 중증 ARDS환자에서는, 이 방법이 적절한 PEEP수준을 찾는 데 유용한 방법이 될 수 있다.

압력-용적곡선(Pressure-Volume Curves)

동적 압력-용적곡선(dynamic pressure-volume loop)을 이용하여 최적의 PEEP수준을 결정하는 방법은 매력적이다. 많은 인공호흡기는 검토목적으로 압력-용적곡선(P-V loop)을 표시하고 있으며, 따라서 폐유순도가 현저히 떨어지는 지점이나 또는 그 바로 위에서 PEEP을 설정하는 것은 유용한 방법처럼 보인다.

압력-용적곡선의 흡기곡선(inspiration limb)은 폐에 공기가 채워지는 동안 유순도의 변화를 나타낸다. 흡기초기에 허탈상태의 폐포단위를 개방할 때는 상당한 흡기압(추진압, driving pressure)이 필요하며 따라서 유순도(곡선)의 기울기는 낮다. 허탈상태의 폐포단위가 일단 모집되면(개방되면), 폐포단위는 훨씬 더 빠르고 쉽게 팽창한다. 이 상태는 압력-용적곡선의 흡기곡선에서 좀 더 가파른 부분으로, 호흡기의 유순도가 많이 호전되었음을 의미한다. 유순도가 변하는 지점(곡선의 기울기가 변하는 지점)을 다른 말로 하변곡점(lower inflection point, LIP)이라고 한다. 계속해서 공기가 폐로 공급되면, 압력이 상승하더라도 폐가 더 이상 팽창되지 않는 지점에 도달한다. 이 지점을 상변곡점(upper inflection point, UIP)이라고 하며, 이 지점을 넘어선 흡기압은 폐포과팽창과 압력손상(barotrauma)의 잠재적 원인이 되리라 생각된다.

상변곡점과 하변곡점(Upper and Lower Inflection Points)

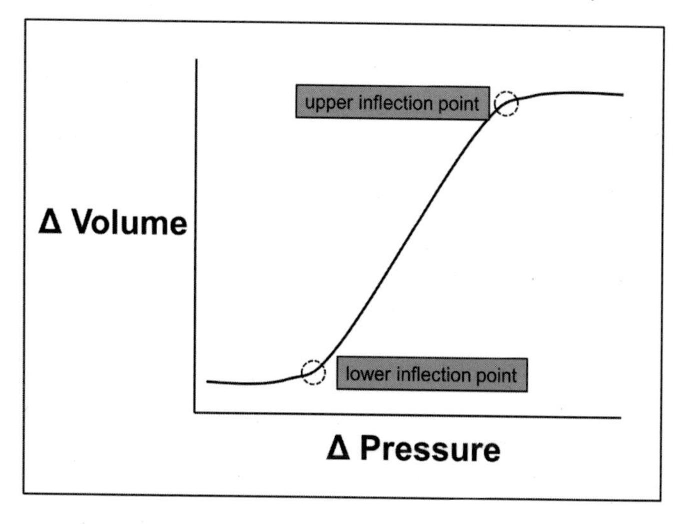

이론적으로 압력-용적곡선의 흡기곡선(inspiration limb)을 사용하면 PEEP 그리고 흡기압(driving pressure, 또는 추진압)과 관련하여 임상의사가 알아야 할 모든 것을 알려준다. 하변곡점이나 하변곡점보다 조금 위에 PEEP을 설정하는데 이는 호기 중 폐포

가 허탈상태에 빠지지 않도록 하기 위함이다. 그리고 고원압(즉, 흡기말의 폐포압)을 상변곡점이나 상변곡점 바로 아래 수준으로 유지하여 과팽창과 압력손상을 최소화해야 한다. 이렇게 하면 유순도곡선의 가파른 부분(즉, 유순도가 좋은 상태)을 따라서 환자의 환기가 유지된다.

그러나 유감스럽게도 실제 임상상황에서는 이처럼 쉽지는 않다. 우선, 정확한 압력-용적곡선(pressure-volume curve)을 결정하는 것이 어렵다. 그 이유는 첫째, 환자가 유발한 호흡이 흉부 내, 외 역학에 변화를 주기 때문에 압력-용적곡선(pressure-volume curve)을 결정할 때 환자는 자발호흡을 할 수 없다. 따라서 환자의 자발호흡을 없애기 위해 신경근차단제와 고용량의 진정제가 필요한 경우가 많다. 둘째, 흡기류는 일정해야 하고 상대적으로 낮아야 한다. 압력제어환기(pressure control ventilation)나 압력조절용적제어환기(pressure-regulated volume control ventilation)를 설정하면 감속기류(decelerating inspiratory flow)가 사용되기 때문에 압력-용적곡선이 부정확하게 그려진다. 셋째, 압력-용적곡선을 확인할 때 PEEP을 0으로 설정해야 하는데, 이렇게 설정하는 것은 심한 저산소증 환자에게는 위험할 수 있다. 넷째, 그리고 아마도 가장 중요한 것인데 흡기폐역학(inspiratory pulmonary mechanics)에 기초하여 호기압(expiratory pressure)을 설정하는 것이 적절하지 않다는 주장이다.*

사람을 대상으로 한 임상연구결과에서 하변곡점(lower inflection point, LIP)에 대한 약간의 근거는 있다. 폐포모집은 전체 흡기주기에 걸쳐 지속되는 경향을 보여주었다. 더구나 상변곡점

(upper inflection point, UIP)은 폐포모집과정이 종료된 것은 대변할 수 있지만 폐포과다팽창인 상태를 의미하는 것은 아니다. 대부분 수동적으로 진행되는 호기과정에서 호기변곡점(expiratory inflection point)은 흡기하변곡점(inspiratory lower inflection point)보다 훨씬 높은 압력 수준에서 관찰된다. 이는 폐포재허탈(alveolar derecruitment)이 LIP보다 훨씬 높은 압력에서부터 시작되며, ARDS의 경우에는 20-22 cm H_2O정도로 높을 수 있음을 시사한다.[13] 더구나, 폐포재허탈은 중력과 환자의 자세에 영향을 받는다. ARDS와 폐포모집/재허탈(alveolar recruitment/derecruitment)은 균일하지 않은 특성을 갖고 있으므로 한 번의 P-V곡선으로만 적절한 PEEP수준을 결정하기 어렵다.

* 역자 주; 폐의 유순도곡선은 흡기 시와 호기 시에 다른 압력-용적곡선을 보이는데 이를 "hysteresis"라고 한다.

흡기와 호기변곡점(Inspiratory and Expiratory Inflection Points)

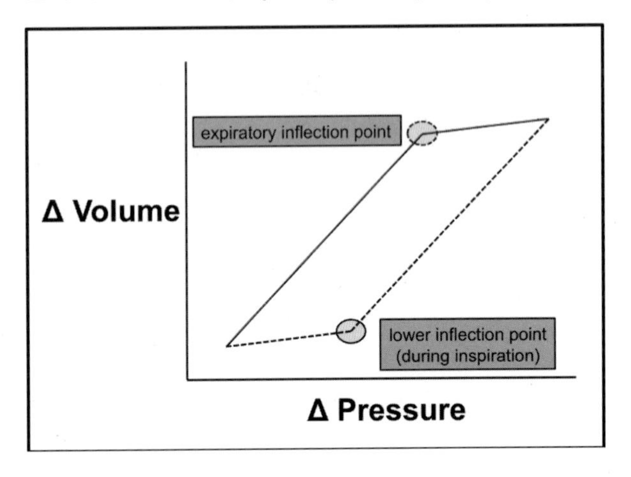

여러 다른 변곡점에서의 PEEP (PEEP At Different Inflection Points)

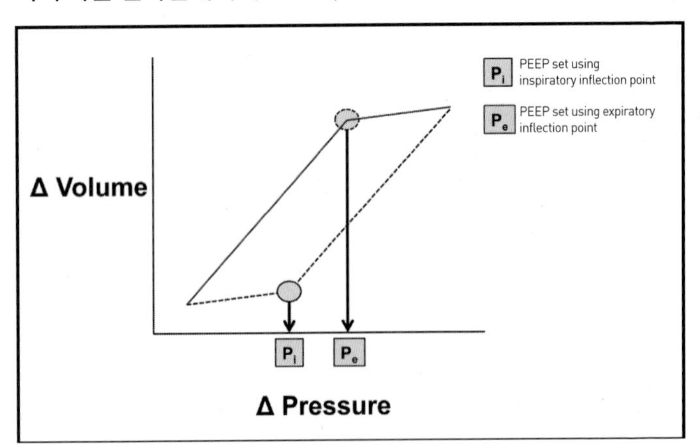

고원압을 이용한 PEEP적정법(Plateau Pressure-Guided Titration)

고원압(PPLAT)은 흡기말에 흡기류가 0이 되었을 때 측정된 기도압이다. 이 압력은 호흡기계 전반에 걸친 기도압의 평형상태를 반영하며, 아마도 흡기말폐포압일 것이다. 일반적으로 임상의사는 폐손상이 발생하지 않는 폐포압의 상한선을 30-35 cm H_2O이라고 생각하고 있기 때문에 그 이하로 고원압을 유지하는 것을 목표로 해야 한다* ExPress연구에서 치료군 환자들의 일회호흡량을 6 mL/kg PBW로 설정한 다음 PPLAT이 28-30 cm H_2O될 때까지 PEEP을 증가시켰다.[14] 이 때 대조군 환자들의 PEEP은 5-9 cm H_2O였다. 이렇게 하면 폐손상을 피하면서 폐포모집은 충분히 할 수 있을 것이라는 가정이었다. 이 연구결과에서 치료군(PPLAT가 28-30 cm H_2O가 될 때까지 PEEP을 증가시켰던 환자군)에서 산소공급이 향상되었음을 입증했지만 생존율은 대조군과 아무런 차이가 없었다.

이와 같은 접근법의 한 가지 단점은 심하지 않은 ARDS 환자에게 실제로 필요한 것보다 더 높은 수준의 PEEP이 설정될 수 있다는 점이다. 예를 들어 각각 PBW 67 kg인 ARDS환자를 두 명

* 정말로 "안전한" 수준의 고원압 -즉 고원압보다 더 높으면 폐손상이 발생하고 그 이하에서는 폐손상이 발생하지 않는다는-이 어느 정도인지 아직 확립하지 못했다는 것을 명심해야 한다. 그러나 대부분의 전문가들은 고원압을 30-35 cm H_2O 범위 이하로 유지할 것을 권고한다.

을 치료한다고 가정해 보자. 두 환자 모두 일회호흡량은 400 mL로 설정한다. 중등증ARDS 환자에서 호흡기유순도가 40 mL/cm H_2O일때 400 mL의 일회호흡량을 공급하려면 10 cm H_2O의 흡기구동압(inspiratory driving pressure)이 있으면 된다. 만약 18 cm H_2O의 PEEP이 추가되면 고원압은 28 cm H_2O까지 상승할 것이다.

두 번째 환자의 경우 상태가 더 나빠서 호흡기유순도가 20 mL/cm H_2O로 낮으면 400 mL의 일회호흡량을 공급하기 위해 20 cm H_2O의 흡기구동압(inspiratory driving pressure)이 필요하며, 이 프로토콜을 따르면, 이 환자에서 8-10 cm H_2O의 PEEP만 추가해도 P_{PLAT}는 28-30 cm H_2O까지 올라갈 것이다.

이 증례는 아주 단순하며 또 PEEP을 적용하면 유순도가 좋게 또는 나쁘게 되든 변한다는 사실을 의도적으로 무시하였지만, 요점은 특정 압력치를 목표로 모든 환자의 PEEP을 설정하는 것은 오히려 해로울 수도 있다는 것이다. 또한 이와 같은 PEEP설정법이 대조군과 비교했을 때 생존율을 개선하지 못했다는 점도 고려해야 한다.

경폐압(Transpulmonary Pressure)

폐의 경벽압(transmural pressure) 또는 경폐압(transpulmonary pressure)은 폐포내압과 흉막압의 차이로 정의된다. 다르게 표현하면, (내부)압력 – (외부)압력이다. 정상상태에서 이 차이는 상당히 작다. 즉, 개방된 성문(glottis)을 통해 호흡하는 경우 폐포압은 대기압 또는 0이며, 흉막압의 범위는 호기말의 -3 cm H_2O에서부터 흡기말의 -8 cm H_2O까지이다. 경폐압(transpulmonary pressure)은 이 둘 사이의 차이이므로 3=(0 - -3)부터 8=(0 - -8) cm H_2O의 범위에 있다. 경폐압은 폐를 개통(open), 유지해주고(keep it open) 또 작아지려고 하는 폐의 탄성반동(elastic recoil)에 대항(counterbalance)하는 역할을 한다.

양압환기 중, 폐포압은 양압상태가 되며 흡기말의 고원압(plateau pressure)과 호기말양압(PEEP) 사이에 있다. 흉막압은 변하지 않더라도 약간 음압상태를 유지한다. 그럼에도 특정 조건하에서 흉막압이 양압상태가 될 수 있다. 이는 보통 일차적인 흉막질환이나 외부압력(복압상승, 수액과다, 병적비만 또는 몸통의 원주화상)으로 인해 흉벽유순도가 감소할 때 발생한다. 이런 경우에는 경폐압도 감소한다.

PEEP을 15 cm H_2O로 설정한 ARDS 환자 2명을 살펴보자. 첫 번째 환자는 흉벽외부에 제한이 없고 흉막압은 -5 cm H_2O이다. 이 환자의 호기말 경폐압은 20=(15 - -5)으로 염증과 부종이 있어 허탈에 빠지려는 폐에서 폐포모집을 유지하는 역할을 한다.

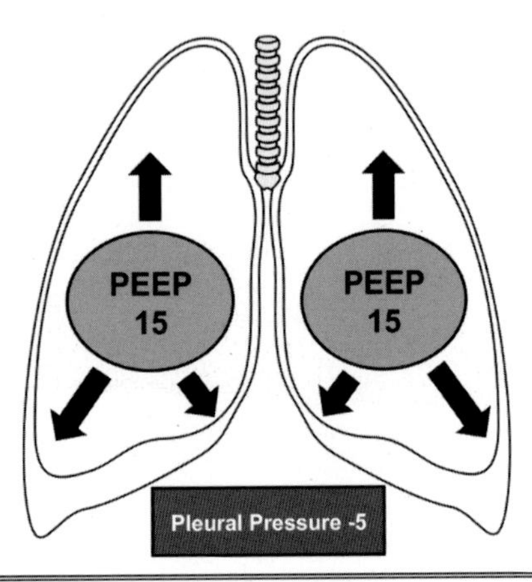

두 번째 환자는 ARDS뿐 아니라 병적인 비만(BMI=52)으로 인해 흉벽유순도가 감소된 상태이다. 이 환자의 흉막압은 +18 cm로, 호기말에 이 환자의 경폐압은 -3=(15 - +18)이다. 결과적으로 이 환자에서는 매 호흡주기가 끝날 때마다 폐포허탈이 발생하게 된다.

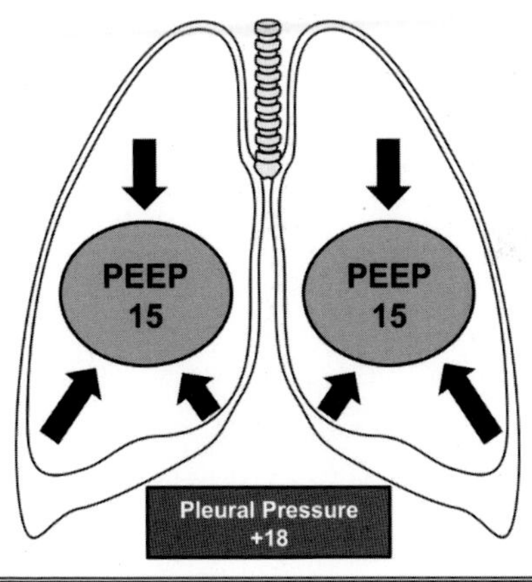

Transpulmonary Pressure = PEEP – Pleural Pressure

Transpulmonary Pressure = 15 – 18 = -3

Net Pressure Effect Leads To Alveolar Collapse

중환자실 환자에서는 흉막압을 직접 측정할 수 없기 때문에 대리표지자(surrogate)로 식도압을 측정, 사용한다. 그러나 이것은 절대적으로 부정확하다. 왜냐하면 흉막압(pleural pressure) 그 자체가 폐의 기저부에서부터 폐첨부에 이르기까지 다양하며 또 앙와위나 복와위등 자세의 영향을 받으며 식도압은 보통 종격동 내 조직의 무게에 영향을 받는다.[15] 그럼에도 흉부유순도가 외부적 요인으로 상당히 감소된 환자에서 PEEP을 적정(titration)하는 데에는 유용하다.

식도압(Peso)을 측정하기 위해서는 공기를 채운 식도풍선카테터(esophageal balloon catheter)를 삽입해야 한다. 상업적으로 판매되는 카테터가 있으며[16] 표준압력감시시스템(pressure monitoring system)과 연결할 수 있다. CareFusion Avea® 인공호흡기에는 식도압탐색자(esophageal pressure probe)를 연결하는 포트가 있으며 식도압을 인공호흡기의 모니터에 보여줄 수 있다.

식도풍선카테터(esophageal balloon catheter)의 삽입은 제조업체의 사용법에 따라 경험이 있는 의사가 시행해야 한다. 카테터삽입의 깊이는 환자의 키(센티미터 단위)에 0.288을 곱하여 추정할 수 있다. 대부분의 환자에서 이 같은 기준을 적용하면 풍선은 식도의 아래쪽 3분의 1의 위치에 설치된다. 식도풍선카테터를 설치한 다음에 1 mL의 공기로 풍선을 부분적으로 팽창시키면 식도압의 변화가 모니터에 반영될 수 있다. 식도압의 파형은 인공호흡기가 호흡을 공급할 때에는 약간 증가해야 하며 환자가 흡기(유발)를 시작할 때에는 음의 편향(negative deflection)이 관찰되어야 한다. 만약 약한 압력으로 복부를 누를 때 식도압이 증가되면 이는 풍선의 위치가 위(stomach)속에 잘못 위치되어 있다는 것을 의미하며 이때는 식도풍선카테터를 빼내야 한다.

식도풍선카테터가 적절한 위치에 놓이면 호기말경폐압(end expiratory transpulmonary pressure)을 측정할 수 있다.

경폐압 = PEEP – [Peso – 5]*

PEEP가 15cm H_2O이고 Peso가 22인 환자의 경우, 이 환자의 호기말경폐압은 -2 cm H_2O이다. 즉, 호기말에 증가된 흉막압에 의해 폐가 압박을 받고 폐포허탈이 발생한다. 이런 상황에서는 PEEP을 최소 17 cm H_2O까지 올려서 호기말경폐압을 0으로 유지해야 한다.

ARDS환자에 대한 경폐압모니터링의 효과를 조사한 한 임상연구에서 산소화(oxygenation)는 현저히 향상되었지만 생존이익을 보여주지는 못했다.[17] 따라서 이 방법을 일상적으로 사용하는 것은 권장되지 않는다. 그렇지만, 복부내 복압이 높아진 경우나 병적비만을 가진 환자들의 적절한 PEEP을 결정하는 데 이 방법이 도움이 될 수 있다.

최적의 PEEP vs. 충분히 좋은 PEEP (Optimal PEEP vs. Good Enough PEEP)

Chiumello등은 ARDS환자 51명을 대상으로 한 임상연구에서 PEEP설정방법(ARDSNet계산표에 의한 방법, ExPress연구의 고원압을 목표하는 방법, 시간-압력스트레스지수를 이용한 방법,

* Peso에서 종격동 무게의 영향에 해당하는 5 cm H_2O를 뺀다. 이것은 대략적인 추정치이지 정확히 측정된 것은 아니다.

식도압을 측정하여 얻은 경폐압을 통해 결정하는 방법 등을)의 차이를 조사했다.[18] 각각의 방법에서 폐포모집성(recruitability)의 변화를 확인하기 위해 CT스캔을 사용하여 평가하였다. 연구결과에서 폐전체가 모집이 되는 정도 및 ARDS의 심각도와의 상관관계가 관찰되는 유일한 방법은 PEEP-FiO_2 계산표를 사용하는 것임이 보고되었다. 다른 방법들은 허탈상태의 폐포를 모집할 때 이와 부합되는 이점은 없었고 오히려 정상적인 폐포단위가 더 많이 과팽창(hyperexpansion) 되는 것과 관련이 있었다.

최고(Best) 또는 최적(Optimal)의 PEEP 수준을 결정하는 여러가지 방법들에는 몇 가지 공통점이 있다. 공통적으로 시행(결정)하기 힘들다는 것이다. 또한 이 방법들은 유효성이 있을 것 같지 않은, 생리학적으로 의미 있는 가정(significant physiologic assumptions)을 만드는 경향이 있다. 예를 들어, '하부식도의 압력이 환자 흉막강 전체의 흉막압을 정확하게 반영할 수 있다'는 가정이나, '흡기압-용적곡선(inspiratory pressure-volume curve)의 하변곡점에서 폐포모집이 끝난다'는 가정과 같은 것이다. 끝으로, 별다른 의미가 없을것 같은 대리종료점(surrogate endpoint)을 종종 주목한다. 최적의 PEEP를 찾기 위해 고안된 여러가지 방법에 대한 임상연구에서 대조군과 비교할 때 산소화나 유순도가 개선되는 것을 보고한 연구는 많지만 생존이익이 확인된 경우는 하나도 없었다는 사실에 주목해야 한다.

따라서 우리는 아마도 최적의 PEEP을 찾는 일을 그만둘 필요가 있을지 모르겠다. 중환자치료의 역사를 되돌아보면 여러가지 생리학적 지표를 최적화하고자 했던 임상의사들의 시도는 불필요했었고, 때로는 오히려 해로웠다는 것을 일관되게 보여주었다.* PEEP의 경우도 이와 별로 다를 바가 없을 것이다. 이 분야에서 선두를 달리고 있는 연구자 중 한 명인 Luciano Gattinoni는 바로 다음과 같은 제안을 했다. "충분히 좋은" PEEP (Good Enough PEEP)은 혈류역학적인 기능의 손상없이 산소화(oxygenation)와 폐모집(lung recruit)을 유지하는 것이며, ARDS의 중증도와 이를 치료하는 임상의사의 뛰어난 감각을 결합한 것에 기초하여 "충분히 좋은" PEEP (Good Enough PEEP)을 결정할 수 있을 것이다.

Good Enough PEEP[19]

Degree of ARDS	PaO_2/FiO_2 Ratio	PEEP
Mild	201-300	5-10 cm H_2O
Moderate	101-200	10-15 cm H_2O
Severe	≤ 100	15-20 cm H_2O

* 폐동맥카테터를 이용한 수술 전, 후 혈류역학의 최적화; 패혈성쇼크에서 ScvO2 감시; 관통외상, 장출혈 및 중증질환에서 공격적인 수혈전략; 두개내압항진(intracranial hypertension)을 치료하기 위한 감압두개골절제술(decompressive craniectomy); 심장쇼크를 치료하기 위한 대동맥내풍선맞박동(intra-aortic balloon counterpulsation); ARDS에서 고빈도진동환기(high-frequency oscillatory ventilation) 등등. 그러나 이와 같은 것들은 앞으로도 계속될 것이다.

05

중증기관지연축

Severe Bronchospasm

중증기관지연축(severe bronchospasm)이 있는 환자에서의 기계환기는 매우 어려울 수 있다. 이런 어려움은 천식지속상태(status asthmaticus)에서 주로 발생하지만 만성폐쇄성폐질환(COPD), 유독가스흡입, 바이러스기관지염(viral bronchiolitis) 등에 의한 호흡부전 등에서도 발생할 수 있다. 특히 천식지속상태(status asthmaticus)에서는 기관지연축(bronchospasm)과 더불어 점액마개(mucous plug)의 복합작용으로 치료가 더 어려워 환기-관류균형이 심하게 나빠질 수 있다.

중증기관지연축(severe bronchospasm)환자의 인공호흡기 치료는 기저질환에 대한 치료로부터 시작된다. 천식과 COPD급성악화는 알부테롤(albuterol, ventolin®)과 같은 흡입베타2(아드레날린)작용제, 이프라트로피움 브로마이드(ipratropium bromide, atrovent®)와 같은 흡입항머스카린(antimuscarinic)제제와 그리고 전신코르티코스테로이드(systemic corticosteroid)로 치료한다. 코르티코스테로이드의 투여량은 원인질환과 기저 병태생리에 따라 달라진다. 천식은 알레르기요소가 강하고 이로 인한 기도염증 및 기도과민반응이 동반된다. ICU에서 코르티코스테로이드의 초기투여량은 프레드니손(또는 동등한 것) 1-2 mg/kg/일이어야 한다. 반면에 COPD의 기관지연축(bronchospasm)은 과도한 점액생성과 강제호기에 의한 동적허탈(dynamic collapse) 때문에 발생하는 기류제한이 더 관계된다. 따라서 천식과 비교할 때 COPD에서는 염증요소가 훨씬 적다. 따라서 천식보다는 낮은 용량의 프레드니손(또는 동등한 약)을 투여하는 것이 적절하다. 대부분의 연구에서는 COPD급성악화 시 하루 40-60 mg을 초과하는 프레드니손의 투여는 추가적인 효과가 거의 없으며, 고용량투여로 인한 스테로이드부작용의 가능성이 항상 존재한다. 호흡기질환에서 코르티코스테로이드는 용량-반응(dose-response)곡선이 선형(linear)관계를 보이지 않는다. 즉 스테로이드 투여량을 두 배로 늘려도 기관지연축을 절반으로 줄일 수 없다.

기관지연축(bronchospasm)이 있는 환자들에서 기계환기가 필요한 경우 기도저항성이 높은 경우와 폐포압이 높은 경우를 구분하는 것이 중요하다. 이는 인공호흡기의 흡기일시중지기동(inspiratory pause maneuver)을 수행함으로써 구별할 수 있다. 흡기말 기류를 0.5-1.0초간 일시적으로 정지시키면 이 시간 동안, 기도압은 호흡기계 전체에 걸쳐 평형화될 것이다. 이 때 기관내관(endotracheal tube)의 압력은 폐포압과 같거나 (또는 거의)같을 것이다. 이때의 압력을 고원압(P_{PLAT})이라고 한다. 최고흡기압(peak inspiratory pressure, PIP)과 고원압(plateau pressure, P_{PLAT})의 차이로 기도저항의 크기를 추정할 수 있다. 일반적으로 PIP와 P_{PLAT}간의 차이는 5 cm H_2O 이하이다. 이 두 압력의 차이가 크면 기류저항이 높음을 의미한다. 높은 기류저항은 기관내관(endotracheal tube)에 다음과 같은 문제가 있기 때문일 수 있다. 기관내관의 직경이 작은 튜브인 경우, 또는 구부러진 경우, 또는 점액마개(mucus plug)로 부분적으로 막힌 경우에 기도저항이 높아진다. 만약 기관내관의 기능이 잘 유지되고 있고, 기관내관의 직경이 적당하며, 점액마개 등으로 막힌 것이 아니라면, 높은 기도저항성은 대개 기관지연축(bronchospasm)이 존재함을 의미한다(천명음이 들리지 않는 경우라도). 이때는 흡입베타2(아드레날린)작용제와 흡입항머스카린(antimuscarinic)제제로 치료하는 것이 도움이 될 수 있다.

만약 PIP와 P_{PLAT}가 모두 상승한 경우, 특히 P_{PLAT}가 30 cm H_2O 이상인 경우, 폐포압의 증가를 의미한다. 폐포압을 증가시키는 일반적인 상황은 주기관지삽관(maintem bronchus intubation, 양쪽폐에 들어갈 일회호흡량이 모두 한쪽 폐로만 들어가고 있는 경우); 기흉; 폐부종; 점액마개로 인해 발생한 무기폐(atelectasis), 동적과팽창(dynamic hyperinflation), 그리고 복압상승 등을 포함한다. 기계환기가 필요한 어떤 환자에서도 다음과 같은 상황 중 어떤 것이든지 발생할 수 있지만 특히 천식환자들에서는 점액마개(mucus plug), 동적과팽창(dynamic hyperinflation), 그리고 기흉이 발생하기 쉽다. 따라서 기계환기 중인 천식환자들이 갑자기 악화되는 소견을 보일 때는 이 같은 원인이 있는지 반드시 확인해야 한다.

동적과팽창(dynamic hyperinflation)은 인공호흡기나 신체검사(physical exam)를 통해 진단할 수 있다. 신체검사에서, 환자는 보통 불편해 보인다. 가슴과 복부가 비동조적(dyssynchronous)으로 움직이는 모순호흡(paradoxical breathing)이 관찰된다. 청진 시에는 다음 번 호흡주기가 시작될때까지 천명음이 크게 들린다. 흡기 중 심장모니터의 QRS 콤플렉스가 저전압(limb leads < 5 mm; 또는 precordial leads < 10 mm)으로 표시될 수도 있는데 그 이유는 흉곽안의 공기걸림(air trapping)이 전류의 흐름을 방해하기 때문이다. 만약 환자가 동맥관(arterial line)을 가지고 있다면, 모순맥박(paradoxical pulse)*이 관찰될 수 있다. 환자의 경정맥은 흡기(inspiration)중에는 허탈상태로 또 호기(expiration) 중에는 팽창상태가 될 수 있는데 이는 호기말 흉강내압이 증가하기 때문이다.

동적과팽창(dynamic hyperinflation)은 호기 중 인공호흡기에서 유량-시간파형(flow-time waveform)을 보면 확인할 수 있다. 일반적으로, 호기말에는 기류가 0이 되어야 한다. 이때는 폐안의 가스가 모두 빠져 나와 폐안에는 기능잔류용량(functional residual capacity)만 남아있는 상태이다. 그러나 동적과팽창(dynamic

* 모순맥박(pulsus paradoxus): 흡기 중 수축기압이 10 mmHg 이상 떨어진다. "역설(paradox)"이란 표현은 심장은 계속 뛰고 있지만 요골동맥 맥박은 없을 수 있다는 것이다. 모순맥박(pulsus paradoxus)은 심장눌림증(cardiac tamponade), 협착심장막염(constrictive pericarditis), 아나필락시스, 기흉 및 다른 상태에서도 볼 수 있다.

hyperinflation)이 존재하는 경우 다음 번 호흡주기의 흡기과정이 시작되어야 하는데도 호기기류가 어느 정도 계속 빠져나가고 있을 것이다. 그러나 이와 같은 호기기류가 항상 존재하는 것은 아닐 수 있으므로 동적과팽창(dynamic hyperinflation)이 의심될 경우 호기정지기동(expiratory pause maneuver)을 시행해 보아야 한다.

동적과팽창(Dynamic hyperinflation)

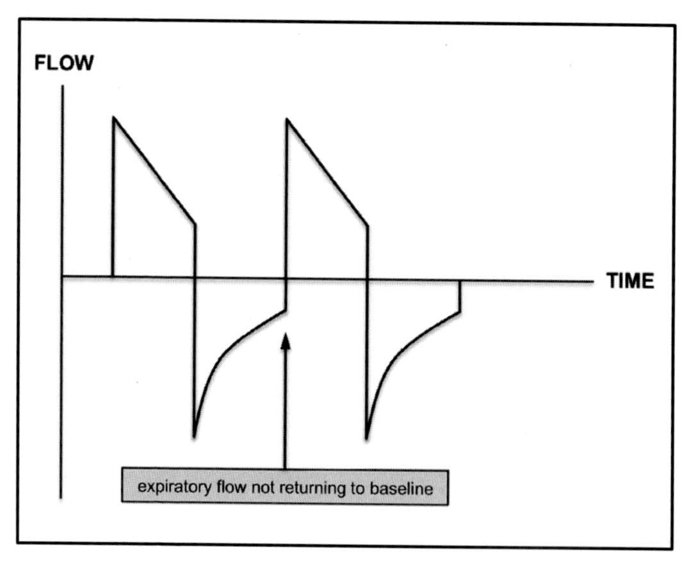

호기정지기동(expiratory pause maneuver)의 배경이 되는 기전은 흡기정지(inspiratory pause; 흡기류가 멈춘 후 기도압은 평형이 됨)와 유사하다. 호기말에 기도압의 평형이 이뤄지는데 이때 기도압은 보통 0이 되어야 한다. 만일 인공호흡기의 PEEP이 설정되어 있으면 호기말폐포압은 PEEP과 동일해야만 한다. 그러나 동적과팽창(dynamic hyperinflation)이 있으면 실제(또는 측정된) 호기압은 적용된(또는 설정된) PEEP보다 높다. 이것이 바로 동적과팽창(dynamic hyperinflation)을 종종 "auto- PEEP"이라고 부르는 이유이다.

Auto-PEEP을 입증하는 호기정지기동(Expiratory Pause Maneuver Demonstrating Auto-PEEP)

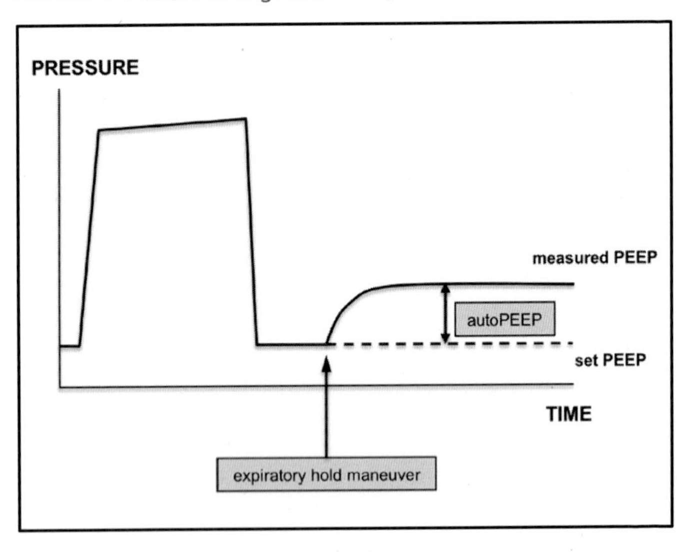

인공호흡기 관리(Ventilator Management)

중증기관지연축(severe bronchospasm)이 있는 환자에서 기계환기의 목표는 동적과팽창(dynamic hyperinflation)을 최소화하고, 호흡근이 쉴 수 있게 하며, 기흉, 종격동기종(pneumomediastinum), 폐간질기종(pulmonary interstitial emphysema)과 같은 합병증을 피하는 것이다. 가스교환과 관련해서는 산소공급을 충분히(완벽하지 않더라도)하고 고탄산산증(hypercapnic acidosis)을 잘 견디는 것이 목표다.

환자가 호기가스를 완전히 내쉴 수 있도록 충분한 호기시간을 주는 것만으로도 동적과팽창(dynamic hyperinflation)의 발생을 최소화할 수 있다. 이것은 호흡수를 낮추거나/또는 흡기시간(흡기가스가 공급되는 데 걸리는 시간)을 줄임으로써 가능하다. 이 두 가지 중 호흡수를 낮추는 것이 가장 효과적이다. 호흡수가 분당 20회, 흡기시간이 1초인 환자를 생각해보자. 분당 호흡수가 20회이면 매 호흡 당 3초가 할당된다. 흡기시간(I-time)이 1.0초로 설정되어 있으면 호기를 위해서는 2.0초가 남는다. 따라서 흡기와 호기시간 사이의 비율은 1:2이다. 그리고 임상의사가 더 많은 호기시간을 허용하려면 흡기시간을 단축하여 I:E 비율을 길게 할 수 있다. 이 환자에서 흡기시간(I-time)을 0.7초로 줄이면 호기시간은 2.3초가 남는다. 이 경우에 I:E 비율은 1:3.3이 된다. 이 정도면 더 좋지만 염증으로 인해 좁아진 기도를 통해 호기가스를 완전히 배출하기에는 충분하지 않을 수 있다. 그러나 흡기시간을 너무 많이 짧게 하면 공기배고픔(air hunger)과 불쾌함을 유발할 수 있을 뿐만 아니라 최고흡기압이 매우 높게 상승할 수 있다. 이런 변화 때문에 결과적으로 고용량의 진정제과 신경근차단제의 투여가 필요할 수 있다. 당신 스스로 시험삼아 0.5초 동안에 빠르게 숨을 들이 쉬어 보라. 아마도 이렇게 장시간 호흡하기는 싫을 것이다.

그러므로 호흡수를 줄이는 것이 I:E 비율을 연장하는 것보다 환자의 불편함을 최소화할 수 있는 효과적인 방법이다. 위의 환자에서 호흡수를 분당 15회로 낮추면 한 번의 호흡주기에 4초가 걸린다. 흡기시간(I-time)을 1.0초로 유지할 경우, 호기시간(E-time)은 3.0초가 된다. 이 경우 I:E 비율이 1:3이 된다. 호흡수를 분당 12회로 낮추게 되면 I:E 비는 1:4가 된다. 호흡수를 분당 10회로 낮추면 I:E 비율이 1:5가 된다. 그러나 I:E 비율을 1:5 이상으로 길게 하더라도 대부분 더 이상의 큰 이점은 없다.

특히 환자가 깊은 진정상태에 있는 것이 아니라면 일회호흡량이 적은 것도 중증기관지연축환자에게 악영향을 줄 수 있다. 공기고픔(air hunger)은 천식이나 COPD 악화 시에 보이는 흔한 증상이며, 일회호흡량을 적게 설정한 경우 환자들이 심한 빈호흡상태에 빠질 수 있다. ARDS환자에서는 일회호흡량을 6 mL/kg PBW로 설정하는 것이 좋지만 천식, COPD가 있는 경우 조금 더 큰 일회호흡량의 설정이 필요한 경우가 많다. 일반적으로 8 mL/kg PBW의 일회호흡량은 과팽창을 유발하지 않고 작용하여, 빈호흡과 공기고픔(air hunger)을 완화시켜 준다. 그러나 보다 더 큰 일회호흡량의 설정, 특별히 10 mL/kg PBW 이상에서는 압력손상(barotrauma)의 위험이 높아진다.

적절한 진정과 진통이 중요하다. 폐질환의 악화와 관련된 빈호흡과 함께 기관내관의 불편함은 공기걸림(air trapping)과 동적과팽창(dynamic hyperinflation)으로 이어질 수 있다. 마약성진통제(펜타닐 주입과 같은 것)는 기관내관과 다른 장치의 불편함을 최소화하고 호흡곤란이라는 주관적인 느낌을 없애는데 도움을 준다. 또한 적정이 가능한(titratable) 프로포폴(propofol)과 덱스메

데토미딘(dexmedetomidine)과 같은 진정제가 도움이 될 수 있다. RASS (Richmond Reseration-Sedation Scale)와 같은 진정척도의 사용은 간호사가 진정제를 적정화하는데 중요하다. 내 경험에 따르면, 진정제를 RASS* -1 ~ -2 정도로 적정화하면 중증기관지연축이 있는 환자에서 효과적이다. 신경근차단제는 환자-인공호흡기비동기화(patient-ventilator dyssynchrony) 현상이 심하거나 동적과팽창에 의해 심한 혈류역학적 불안정성이 발생하는 경우에 사용할 수 있다. 그럼에도 이와 같은 약물(특히 평상 시 코르티코스테로이드를 같이 투여할 때)에 의해 중병관련쇠약(critical illness-associated weakness)이 발생할 위험이 높으므로 환자가 안정될 때까지만 그리고 제한적으로 사용해야 한다. 처방가능한 신경근 차단제 중에서는 약제의 대사작용이 신기능이나 간기능장애에 영향을 받지 않는 시사트라쿠리움(cisatracurium)을 선호한다.

Richmond Agitation-Sedatio Scale

	Target RASS Value	RASS Description
+4	Combative	Combative, violent, immediate danger to staff
+3	Very Agitated	Pulls or removes tube(s) or catheter(s); aggressive
+2	Agitated	Frequent non-purposeful movement, fights ventilator
+1	Restless	Anxious, apprehensive but movements are not aggressive or vigorous
0	Alert and Calm	
−1	Drowsy	Not fully alert, but has sustained awakening to voice (eye opening & contact greater than 10 seconds)
−2	Light Sedation	Briefly awakents to voice (eye opening & contact less than 10 seconds)
−3	Moderate Sedation	Movements or eye opening to voice (but No eye contact)
−4	Deep Sedation	No response to voice, but has movement or eye opening to physical stimulation
−5	Unarousable	No response to voice or physical stimulation

중증기관지연축환자의 인공호흡기 초기설정

- 모드: 보조-제어환기(Assist-Control Ventilation)
- 호흡수: 10-14회/분
- I:E 비율이 1:3 - 1:5로 유지하도록 흡기시간을 조정함
- 일정기류(constant flow)
- 일회호흡량: 8 mL/kg PBW
- PEEP: 0(또는 ZEEP)*
- FiO_2: 100%에서부터 시작, SpO_2가 88-95% 정도 유지되도록 FiO_2를 낮추면서 조정함

---

* 일반적으로 천식지속상태(status asthmaticus)나 COPD악화와 같은 상태에서는 폐포삼출(alveolar flooding)과 폐포허탈(alveolar collapse)이 문제가 되지 않는다. 따라서 기계환기 설정에서 PEEP의 역할이 크지 않다. 오히려 천식지속상태(status asthmaticus)에서 PEEP을 적용하면 공기걸림(air trapping)과 동적과팽창(dynamic hyperinflation)을 악화시킬 수 있다. 그러나 COPD악화에서처럼 동적기도허탈(dynamic airway collapse)상태가 있는 경우 PEEP을 설정하는 것은 때때로 긍정적인 역할이 있으며, 우선 제로호기압(ZEEP)부터 시작하는 것을 추천한다. 이에 대해서는 "The Ventilator Book (2nd ed, 한글판)"에서 더 자세히 설명하였다.

중증기관지연축 환자들을 치료할 때 허용적 고탄산혈증(permissive hypercapnia)의 개념은 매우 중요하다. 정상수치의 가스교환보다는 폐손상(동적과팽창이나 압력손상의 형태로)을 예방하는 것이 더 중요하다고 생각한다. 물론 적절한 산소공급 즉 -SpO_2 88-95%, PaO_2 55-80 mm Hg-을 유지하는 것은 중요하다. 두개내압항진과 같은 뚜렷한 금기가 동반된 상황이 아니라면 $PaCO_2$는 덜 중요하다. 일반적으로 pH가 7.10 이상으로 유지되는 한 $PaCO_2$가 상승하는것은 허용해도 괜찮다. 중탄산나트륨 주입과 같은 완충요법도 pH를 이 임계치 이상으로 유지하기 위해 사용

할 수 있다. 천식지속상태(status asthmaticus)에서 기계환기 환자들의 사망률이 현저히 감소한 것은 허용적 고탄산혈증을 도입한 것과 관계 있는 것으로 보인다.[20]

중증기관지연축 환자들을 치료할 때 앞에서 설명한 방법이면 대부분 충분하다. 호흡수를 낮게 유지하고, 알부테롤, 이프라트로피움, 프리드니손 등을 투여하며 $PaCO_2$가 높아지는 것에 대해 너무 걱정하지 말고, 환자가 좋아지기를 기다려보라. 이런 치료법들은 보통 효과가 없을 때까지는 효과가 있다. 그러나 환자가 계속 악화되고 있는 경우에는 임상의사는 한 두가지 이상의 구제요법을 고려해야 한다. 구제요법에는 헬리옥스(heliox), 케타민주입 및 치료기관지내시경 등이 포함된다. 흡입마취제는 문헌에 기술되어 있지만 마취기가 갖고 있는 번거로운 문제와 마취가스가 의료진에게 누출될 수 있는 잠재적인 독성의 위험성 때문에 바람직하지 못한 방법이라고 생각한다.

헬리옥스(Heliox)

헬리옥스(heliox)는 헬륨과 산소가 혼합된 가스를 말하며, 보통 70:30의 비율이다. 가스혼합기(gas blender)를 사용하여 이 비율을 60:40으로 바꿀 수 있다. 산소분율이 40%를 초과하면 헬리옥스의 잠재적 편익이 사라진다. 따라서 $FiO_2$40% 이하로도 산소가 충분히 공급될 수 있는 환자에서만 헬리옥스를 적용해야 한다.

헬리옥스의 장점은 헬륨(He)의 밀도가 질소가스(N_2)의 밀도보다 훨씬 낮다는 것이다. 흡입된 가스가 층류(laminar flow)로 변하는 과정을 헬리옥스가 돕는 것으로 생각되는데, 흡기류가 층류가 되면 좁아진 근위기도와 대기도에서 기체의 흐름이 좋아진다. 전도기도에서 층류(laminar flow)가 증가되고 난류(turbulent flow)가 감소되면 가스교환이 개선되고 또 알부테롤과 같은 흡입약제를 호흡세기관지(respiratory bronchiol)와 말단세기관지(ternminal bronchiol)에 더 잘 전달하게 한다. 이로 인해 또한 호흡일(work of breathing)도 줄어든다. 헬리옥스는 안면마스크, 비침습양압환기 또는 인공호흡기를 통한 기계환기에서 모두 사용할 수 있다.

인공호흡기를 통해 헬리옥스를 사용할 때는 두 가지 문제를 해결해야 한다. 첫 번째는 환기모드 문제이다. 대부분의 신형 인공호흡기는 헬리옥스에 대해 보정이 되어있지 않다. 용적-보조제어(volume-assist control)모드에서 흡기밸브는 설정된 것보다 더 많은 용적의 일회호흡량이 공급되는 것을 허용할 수 있으며 또 일부 인공호흡기는 배출된 일회호흡량을 정확하게 기록하지도 못한다. 이 때문에 헬리옥스를 사용할 때는 압력-보조제어(pressure-assist control)모드를 적용하는 것이 바람직하다. 이때는 흉부가 상승하고 적절한(정상이 아니라면) 폐포환기량을 공급하기에 충분한 정도의 흡기압을 설정해야 한다. 압력손상을 회피하기 위해 흡기압은 가능한 30 cm H_2O 이하로 유지하는 것이 좋다. 만약 용적-보조제어(volume-control ventilation)를 적용해야 한다면, 임상의사는 실제 일회호흡량을 추정하기 위해 사용 중인 특정 인공호흡기에 대한 변환표를 사용하거나[21], 또는 밀도에 따라 측정치가 달라지지 않는 특별한 호흡유량계(pneumotachograph)를 사용하여 기관내관 수준에서 일회호흡량을 주기적으로 측정해야 한다.[22] 그러므로 헬리옥스 사용 시에는 압력제어환기법을 사용하는 것이 더 쉬운 방법이다.

두 번째는 FiO_2 문제이다. 대부분의 인공호흡기에는 2개의 가스흡입구(gas inlets)가 있다. 하나는 100% 산소용이고 다른 하나는 공기용(산소 21%)이다. 가스혼합기가 2가지 가스를 혼합하여 인공호흡기에 설정된 FiO_2를 공급한다. 그런데 공기흡입구를 통해 헬리옥스를 투여하면 환자에게는 실제로 다른 FiO_2가 공급될 수 있다. 즉 순수헬륨이 공기흡입구에 연결되면, 공급되는 FiO_2는 설정된 것보다 낮을 수 있다(일반적으로 공기흡입구에는 21%의 산소가 포함되어 있는 공기가 연결되나 순수헬륨에는 산소가 0%이다). 그러나 일반적으로 미리 혼합된 헬리옥스탱크를 공기흡입구에 연결하는 경우가 더 흔하다. 따라서 공기흡입구에 연결한 헬리옥스가 헬륨 70%와 산소 30%를 미리 혼합한 것이고 만일 인공호흡기의 FiO_2가 30%로 설정되어 있는 경우, 환자는 인공호흡기에 설정된 FiO_2 30%보다 높은 FiO_2를 공급받게 된다(FiO_2 21%인 공기대신 FiO_2 30%의 헬리옥스가 100% 산소와 혼합되어 공급되므로). 이렇게 되면 실제 공급되는 FiO_2는 40%를 초과하게 되어서 헬리옥스의 효과가 감소될 수 있다. 또한 환자에게 공급되는 가스의 양도 증가되어 따라서 기도압도 증가될 수 있다. 이것이 더 복잡한 이유는 서로 다른 인공호흡기는 당연히 서로 다른 혼합밸브와 혼합기를 사용하기 때문이다. 따라서 당신이 사용하는 특정 인공호흡기가 헬리옥스 연결 시 어떻게 작동하는지 아는 것이 중요하다.

FiO_2문제를 해결할 수 있는 방법은 2가지가 있다. 첫 번째는 밀도독립측정장치(density-independent measuring device)로 흡입된 가스용적을 직접 측정하는 방법인데, 이는 번거로운 일이다. 두 번째는 미리 혼합된 헬리옥스의 탱크를 인공호흡기의 공기흡입구에 연결하고 인공호흡기의 FiO_2를 21%로 설정하는 것이다. 다시 말해서 FiO_2 30%인 헬리옥스혼합가스와 FiO_2 100%인 보충산소를 혼합하지 않고 헬리옥스만 환자에게 공급하는 것을 의미한다. 탱크에 있는 가스혼합기나 탱크 자체에 있는 가스혼합물은 "실제" FiO_2를 조절하는데 사용될 수 있다. 설정된 대로 인공호흡기에는 FiO_2가 21%라고 표시되겠지만, 70:30 비율인 헬리옥스로 탱크가 가득 차있으면 환자는 실제로 FiO_2 30%의 산소를 공급받게 되는 것이다. 이 방법이 가장 쉽지만, 인공호흡기의 FiO_2가 21%라고 표시되고 있더라도 실제 환자에게 공급되는 FiO_2는 21%가 아니고 30%라는 것을 간호사나 의료진은 알고 있어야 한다.

케타민(Ketamine)

케타민은 진정 및 진통작용을 갖고 있는 해리성 정맥마취제(dissociative anesthetic agent)이며, 시술 등에서 가장 흔히 사용되는 진정제이다. GABA수용체에 억제작용을 하는 벤조디아제핀과는 달리 케타민은 중추신경계의 흥분NMDA수용체를 차단한다. NMDA수용체는 폐에도 또한 존재하며 기관지연축에 역할이 있는 것으로 보인다. 따라서 케타민의 항NMDA효과는 천식지속상태와 같은 중증기관지연축(severe bronchospasm)에서 사용하기에 매력적인 약물이 될 것이다. 또한 실험동물모델에서 케타민이 노르에피네프린 재흡수 및 부교감신경 억제효과를 통해 기관지연축에 유익한 영향을 줄 수 있다는 것이 보고되었다.[23]

케타민은 부작용이 없는 약물이 아니다. 가장 흔하게 보고되는 부작용은 기도분비물의 증가이다. 정신과적인 부작용으로는 지남력장애(disorientation)와 환각(hallucination) 등이 기술되었다. 정신과적인 부작용은 케타민을 고용량 투여할 때 특히 전신마취에 사용할 때 더 흔하다는 점을 유의해야 한다.[24] 그러나 벤조디아제핀은 이러한 부작용을 완화시킬 수 있다. 케타민의 다른 부작용으로는 후두경련(laryngospasm), 고혈압, 그리고 두개내압상승(increased intracranial pressure) 등이 있다.

여러 임상연구들에서 상반된 결과들이 보고되었는데, 일부 연구에서는 기도압, 가스교환 및 기관지연축(bronchospasm)이 호전되었음을 보고하였다. 그러나 다른 연구결과는 기계환기 중인 천식환자에서 이 약제의 사용을 지지하지 않았다. 현재, 중증기관지연축(severe bronchospasm)환자에서 케타민의 유효성을 확인하기 위한 대규모의 무작위 전향적 임상연구는 진행되고 있는 것이 없다. 따라서 케타민은 기존치료법(스테로이드, 기관지확장제, 적절한 기계환기 설정 및 적절한 진정)의 효과가 없는 것이 확인되었을 때 사용할 수 있는 구제약제(rescue agent)로써 고려해야 한다.

천식지속상태(status asthmaticus)에서 케타민에 대한 일반적인 투여량은 명확하게 정해지지 않았다. 임상연구에서는 0.1~2.0 mg/kg 의 용량을 최초에 한 번 일시(bolus)주사 후 0.15~2.5 mg/kg/hr의 용량을 최대 5일간 주입했다.[23] 근거에 기반한 명확한 권고사항이 없기 때문에 0.1~0.5 mg/kg과 같은 저용량을 일시(bolus)주사 후 0.15~0.25 mg/kg/hr 범위 안에서 신중하게 주입하는 게 좋다. 주입량은 적절한 진정, 가스교환의 개선 그리고 예상하는 기관지연축의 임상반응(즉, 흉부청진의 호전 및 기도압의 감소 등에 의해 결정됨)이 나올 때까지 용량을 늘려가면서 적정화할수 있다. 그리고, 각성기반응(emergence reaction)을 예방하기 위해 케타민을 점차 줄여가고 중단 시에는 벤조디아제핀을 투여하는 것이 좋다.

치료기관지경(Therapeutic Bronchoscopy)

치료기관지경은 기도에 있는 점도가 높은 점액마개(mucus plug)나 기관지원주(bronchial cast)를 제거하기 위해 때때로 필요하다. 직경이 큰 전도성기도의 폐쇄는 폐역학 및 가스교환에 큰 영향을 미칠 수 있으며 더 작은 소기도로 흡입기관지확장제들이 전달되는데 장애가 된다. 천식으로 사망(fatal asthma)한 환자 93명에 대한 한 논문을 보면 삼출분비물(exudative secretion)에 의

한 기도폐쇄가 사망의 중요한 원인이었다는 것을 알 수 있다.[25] 중증기관지연축(severe bronchospasm)환자에서는 조기에 기관지내시경을 이용해 기도 및 기관지를 평가하는 것을 반드시 고려해야 하며 점액마개가 발견되면 적극적으로 세척해야 한다. 기관지내시경을 통해 N-아세틸시스테인과 같은 점액용해제(mucolytics)를 투여하는 것도 도움이 될 수 있지만, 이로 인해 오히려 기관지연축이 발생할 수도 있다. 또한 기관지내시경 검사 때문에 '즉시' 또는 '지연'되어 기관지연축이 발생할 수도 있다. 따라서 "일상적인" 천식환자에서, 기관지내시경검사는 적절하지 않으며 오히려 합병증을 유발할 수 있다. 그러나 심한 점액마개(mucus plug)와 기관지원주(bronchial cast) 등이 존재할 가능성이 높은 중증천식 환자에서는 기관지폐포세척(bronchoalveolar lavage)의 위험보다 유익이 클 수 있다.

기다리기만 해야 하나…(Wait It Out)

중증기관지연축(severe bronchial spasm) 환자들의 중환자 치료에서 가장 큰 어려움 중 하나는 환자들이 빠르게 회복되지 않는다는 것이다. 스테로이드제와 기관지확장제의 효과가 나타나서 염증과 기관지연축이 좋아지는 데는 며칠 또는 그 이상이 걸릴 수 있다. 그 동안 다음과 같은 목표에 집중하는 것이 중요하다.

- 적절한 산소(완벽할 필요는 없지만) 유지—SpO_2 88-95%면 좋다. 고산소증(hyperoxia)은 필요하지도 또 도움이 되

지도 않는다.

- 호기시간을 충분히 주어서 동적과팽창을 감소시킨다.
- 특히 $PaCO_2$와 pH를 "정상화"하기 위해 일회호흡량을 크게 설정해야 하거나 동적과팽창이 발생하여 폐손상이 예상되는 경우에는 호흡산증을 용인한다. 인공호흡기유발폐손상(ventilator-induced lung injury, VILI)을 예방하는 것이 "좋은" ABG 결과를 얻는 것 보다 훨씬 더 중요하다. 필요에 따라 pH가 7.10까지 낮아지는 것도 허용할 수 있다.
- 필요한 경우 헬리옥스(heliox), 케타민(ketamine), 치료기관지내시경 등의 치료법을 사용하되, 앞서 기술한 목표들에서 벗어나지 않도록 하자.
- 훌륭한 전인적인 중환자치료(holistic critical care)를 제공한다. 여기에는 영양보조, DVT예방, 적절한 시기에 운동(mobilization) 등이 포함된다.
- 인내심을 가져라. 좋아지는 데는 시간이 걸린다. 환자의 치료방향을 바르게 결정하고 변화를 감시하면서 치료계획이 잘 실현되도록 하자. 이런 것은 즉각적인 만족을 요구하는 시대(an age of instant gratification*)에는 가장 어려운 문제가 될 수 있다!

---

* instant gratification에 대한 설명: http://blog.iqmatrix.com/instant-gratification

06

복와위자세와 신경근차단제

Prone Positioning and Neuromuscular Blockade

중증ARDS 환자를 치료하는데 지난 수년간 사용되어온 두 가지 보조적인 치료전략에는 복와위자세 및 신경근차단제가 있다. 이것들은 서로 연계하여 적용하는 경우가 많으며, 임상적 근거는 환기-관류균형과 폐포모집의 개선이다. 그러나 최근까지는 두 가지 치료법 모두 중증호흡부전환자에서 생존율의 향상을 보여주지는 못했었다(비록 산소화가 개선되는 증거는 있었지만).

그런데 2013년 Guérin 등은 ARDS 환자를 대상으로 복와위자세를 16시간 동안 유지하고, 이어서 앙와위자세를 8시간 동안 유지하여 그 효과를 조사한 다기관, 무작위시험(PROSEVA)의 결과를 발표했다.[26] 이들은 전체 사망률이 16.8% 감소했다고 보고했다. 또한 2010년에 Papazian 등은 중등도에서 중증의 ARDS 환자를 치료할 때 초기 48시간 동안 시사트라쿠리움(cisatracurium) 주입할 때 ARDS로 인한 사망위험 비율(hazard ratio for death)의 감소를 입증한 다기관, 무작위, 이중맹검연구(ACURASYS)를 발표했다.[27] 이 두 논문의 발표로 이 두 가지 각각의 치료전략이 전문가진료지침에 포함되었으며 ARDS에 대한 치료전략으로써 많은 관심을 불러 일으켰다.

이와 같은 연구결과를 환영하는 뜨거운 반응에도 불구하고 이들 임상연구에는 제한점이 있으며, 따라서 이 연구결과로 인해 모든 ARDS 환자에서 복와위자세와 신경근차단제를 대규모로 적용(wholesale application)해서는 안 된다는 것을 명심해야 한다. 이번 장에서는 각 치료의 장단점에 대해서 논의한다. 말꼬리 잡히지 않도록 애매하게 설명하는 것처럼(hedging) 보인다면 이 주제가 원래 그렇기 때문이다. 복와위자세와 신경근차단제는 ARDS치료에서 중요한 위치를 점하고 있지만 두 가지 모두 심각한 위험이 있다. 이 두 가지 치료법 모두 마법의 총알이 아니며, 폐보호환기 및 적절한 중환자보조치료(supportive critical care)를 대신할 수도 없다. 이 책을 읽을 쯤이면 이 치료법을 지지하거나 반박하는 (아니면 둘 다!) 새로운 연구결과가 발표될 수 있을지 모

---

* 역자주; 이 책이 발간된(2017년)이후 NEJM 380: 1997-2008, 2019에 ROSE연구의 결과가 보고되었다. ROSE연구는 ARDS환자에서 초기 48시간 동안 시사트라쿠리움(cisatracurium)의 효과를 ACURASYS연구와 거의 같은 방법으로 더 많은 환자(ACURASYS 340명, ROSE 1006명)를 대상으로 재확인한 연구였다. ACURASYS와는 달리 ROSE연구의 결과는 시사트라쿠리움(cisatracurium)군과 대조군간의 90일간 전반적인 사망율(overall mortality)에 차이가 없었다.

르겠다.* 현재로써는 이 두 가지 치료법의 위험을 최소화하면서 혜택을 볼 수 있는 환자를 찾는데 초점을 맞춰야 한다.

복와위자세를 찬성하는 주장(In Favor Of Prone Positioning)

ARDS에서는 등쪽폐단위(dorsal lung units)가 더 많이 경화(consolidate)되는 경향이 있다. 경폐압(transpulmonary pressures)도 등쪽폐포(dorsal alveoli)에서는 증가하고 배쪽폐포(ventral alveoli)에서는 더 낮다. 동시에, 폐혈류에 작용하는 중력의 영향으로 앙와위자세에서는 환기가 잘 되는 배쪽폐단위보다는 경화로 인해 환기가 잘 안되는 등쪽폐단위에 상대적으로 관류량이 더 많다. 이로 인해 단락률(shunt fraction)이 증가되고 산소화가 악화되는 현상이 나타난다. 복와위자세의 이론적 근거는 환자를 뒤집어 복부가 아래쪽에 위치하면 환기가 잘되는 배쪽폐단위에 중력에 의한 관류도 증가하여 결과적으로 환기-관류균형이 좋아져 가스교환이 개선되는 것에 있다. 동시에 환기상태(aeration)와 경폐압(transpulmonary pressure)이 좀더 균형있는 분포를 하게 된다.

다른 이점도 있다. 복와위자세는 기도로부터 폐분비물의 배출을 쉽게 한다. 또한 복부장기 즉 복부장기들을 체위의존(환자의 가슴과 골반에 베개-padding-를 괴어) 상태가 되도록 하면 횡경막에 걸리는 압력이 줄어들어 흉벽유순도가 개선된다. 일반적으로 심장의 무게는 좌하엽을 누르는데 이것이 중앙쪽으로 이동한다.

이전의 연구들에서 복와위자세가 폐혈류와 산소화상태의 호전을 보여주기는 했지만 사망률을 개선하지 못했었다.[28,29] 그 이유는 기존의 연구들이 중증ARDS 환자가 아닌 환자에서 복와위자세를 시도했으며 또 연구프로토콜(protocol)에 복와위자세의 체크리스트를 제대로 정의하지 못하였고, 또한 복와위자세 유지시간도 짧았기 때문에 부정적인 결과가 나온 것으로 생각된다. 반면에 2013년 Guérin 등의 연구는 프로토콜이 잘 정의되어 있으며 PaO_2/FiO_2비율이 150이하인 중증ARDS 환자들을 포함하였다. 따라서 대상환자들은 치료효과가 분명해질만큼 충분히 나쁜 상태였다. 또한 이 연구는 복와위자세 유지시간(반드시 한 번에 16시간)을 생리적 효과가 나타날 수 있을 만큼 충분히 유지하도록 연구프로토콜이 설계되었다. 이에 반해 기존의 연구는 6-8시간 정도만 복와위를 유지했었다.

복와위자세의 위험에는 다음과 같은 것들이 포함된다. 기관내관 및 혈관카테터와 같은 생명유지장비의 이탈(dislodgement); 또한 눈, 얼굴 및 사지에 대한 압박손상; 깊은 진정상태의 유지 및 잦은 신경근차단제의 필요성 등이다. 명확하게 규정된 연구프로토콜에 의해 환자를 회전시키고 또 직원교육을 적절히 하면 이와 같은 합병증을 대부분 피하거나 줄일 수 있다. 진정제와 신경근차단제에는 부작용이 있으므로, 복와위자세를 중등도에서 중증의 ARDS환자에서 제한적(환자가 회복하기 시작하면 바로 중단)으로 시행하면 고용량의 진정제를 투여해야 할 기간을 줄일 수 있다.

복와위자세를 반대하는 주장(Arguments Against Prone Positioning)

PROSEVA임상연구에 참여한 센터들은 일반적인 센터의 중환자실에 비해 ARDS환자에서 복와위자세(prone positioning)에 대한 풍부한 경험을 가지고 있었다. 복와위자세를 시행하기 위한 직원교육과 연구프로토콜의 중요성은 아무리 강조해도 지나치지 않는다. 환자와 직원 모두에 대한 위험이 회전 중에 가장 높기 때문이다. ARDS치료법의 하나로 복와위자세를 시작하려고 하는 중환자실은 체크리스트를 개발하고 이를 실행하여 실제 중환자에게 복와위자세를 시행할 때 막힘없이 진행될 수 있도록 해야 한다.

비록 PROSEVA연구에서는 사망률이 감소함을 보여주었지만 ARDS환자에서 복와위자세(prone positioning)의 부정적인 치료효과를 보고했던 기존의 수 많은 다른 임상연구결과들이 보고된 이후 처음으로 발표된 긍정적인 연구결과라는 점에 유의해야 한다. 이렇게 긍적적인 결과가 나온 것은 치료방법이 우수(PROSEVA연구에 참여했던 센터들이 복와위자세 치료에 풍부한 임상경험을 갖고 있었으므로)했을 수 있었겠고 또 적응증 및 복와위 치료시간이 달라졌기 때문일 수 있다. 또한 임상통계가 정확치 않을 수 있다는 사실도 쉽게 생각할 수 있으며 때로는 임상연구에서 실제 존재하지 않는 이점이 입증되는 경우도 있다. 그러나 PROSEVA연구의 연구 디자인은 2009년에 발표된 복와위자세(prone positioning)에 대한 또 다른 임상연구(Prone-Supine II 연구)와 매우 유사했다.[30] 이 연구에서는 비슷한 수의 환자

(Prone-Supine II 연구는 342명, PROSEVA연구는 466명)가 등록되었으며 PaO_2/FiO_2비율이 200이하인 환자들이 등록대상이였다. 복와위자세(prone positioning)를 시행한 시간도 비슷(Prone-Supine II에서는 한 번에 20시간/24시간, PROSEVA에서는 16시간/24시간)하였다. 그런데 이 Prone-Supine II 연구에서는 예상했던 것처럼 산소화(oxygenation)의 개선은 있었지만 PROSEVA연구결과와는 달리 사망률에서는 통계적으로 유의한 차이를 보여주지 못했다. 따라서 연구계획이 매우 유사한 2개의 임상연구가 서로 다른 결과를 보여주었다는 사실은 훨씬 더 많은 환자를 대상으로 하는 최종결승전(tie breaker)과 같은 임상연구가 필요함을 시사한다.

임상의사로서 PROSEVA연구에 대해 고민해야 할 마지막 문제는 전반적인 사망률의 감소이다. 절대위험률의 감소가 거의 17%에 가까운데 이는 어마어마한 수치이다. 중환자의학의 그 어떤 치료법도 사망위험률을 이렇게 큰 차이로 일관되게 감소시킨 치료법은 없었다. 이것은 아마 "말도 안 되게 너무 좋은 결과인 것 같아. 그렇다면 아마 있을 수 없는 결과는 아닐까?"에 해당되는 경우일 수 있다.

신경근차단제를 찬성하는 주장(In Favor of Therapeutic Neuromuscular Blockade)

ARDS 환자에서 볼 수 있는 대부분의 인공호흡기유발폐손상은 1) 손상으로 인해 취약해진 폐포단위에 작용하는 '높은 경폐압'과 2) 상대적으로 정상인 폐포단위에 작용하는 기계환기에 의한 '과팽창' 때문에 발생한다. 깊은 진정과 함께 치료적 신경근차단제를 투여하는 것의 목표는 호흡기계 유순도와 환자-인공호흡기비동기화(patient-ventilator dyssynchrony)를 개선하는 것이다. 신경근차단제을 투여한 환자의 혈액과 기관지폐포세척액에서 염증생물표지자(Inflammatory biomarkers)가 감소되었음이 보고되었다.[31] 이러한 효과는 신경근차단제가 인공호흡기에 의한 폐손상의 위험을 낮추어 결과적으로 ARDS로부터의 생존율을 향상시키는 것으로 추정된다.

ACURASYS연구에서는 중등도에서 중증 ARDS환자($PaO_2/FiO_2 \leq 150$) 치료초기 48시간 동안 시사트라쿠리움(cisatracurium)을 일시(bolus) 주사한 후 지속적으로 주입했다. 이로 인해 90일째 사망위험률(hazard ratio of death)이 감소하고 또한 기흉발생률도 감소했다(4 % vs. 11.7 %). 이와 같은 효과는 PaO_2/FiO_2비가 120 이하인 환자에서 가장 뚜렷했으며, 이는 신경근차단제가 최중증ARDS 환자에서 가장 효과적임을 시사한다. 다른 소규모 임상연구에서도 시사트라쿠리움(cisatracurium)주입의 효과가 있음이 보고 되었다.[31,32] 이 연구에서 중요한 점은, 대조군과 비교할 때 시사트라쿠리움(cisatracurium)주입군에서 지속근육병증(prolonged myopathy)이나 중환자실획득쇠약(ICU-acquired weakness) 등의 부작용의 위험이 높아지지 않았다는 것이다.

신경근차단제를 반대하는 주장(Arguments Against Neuromuscular Blockade)

ACURASYS연구에서는 90일 사망위험률의 감소를 보고했지만 통계적으로 유의한 전반적인 사망률의 감소는 없었다. 즉, 시사트라쿠리움(cisatracurium)을 투여 받은 환자가 연구초기에는 대조군보다 더 오래 살았지만 90일 이후에는 비슷한 수의 환자가 사망하였다. 위험비율(hazard ratio)의 감소는 폐암과 같은 질환에서 새로운 치료법을 확인하는 임상연구였다면 의미 있는 결과라고 할 수 있다. 즉 5년 사망률은 같지만 신약에 의해 수명이 추가로 1-2년 더 연장될 수 있는 환자가 있을 수 있기 때문이다. 이런 결과를 보이면 대부분 효과적인 신약이라고 평가한다. 그러나 중환자실에서 삽관 후 인공호흡기를 연결한 상태에서 추가로 1-2주간 생명이 연장된 것을 성공적 결과라고 생각할 수는 없을 것이다.

연구의 외적타당도(external validity)에 대한 우려도 있다. 대조군의 기흉발생률은 거의 12%로 실제 임상상황에서 경험하는 빈도보다 높다. 이로 인해 사용된 기계환기전략에 대한 의문이 생기는데 이 연구에서 연구 대상자들에게 적용된 일회호흡량은 6-8 mL/kg PBW였다. 이것은 중등도에서 중증 ARDS환자에 권장되는 것보다 더 많은 일회호흡량이다. 따라서 정확한 결론은 얻기 위해서는 더 적은 일회호흡량을 적용한 추가적인 임상연구가 필요할 것 같다.

ACURASYS연구에서는 거의 22%의 대조군환자가 개방표지(open-label) 시사트라쿠리움(cisatracurium)을 투여받았다. 따라서 이 임상연구는 완전한 맹검법을 적용하지 못했기 때문에 결과 해석도 어렵다. 환자-인공호흡기비동기화(patient-ventilator dys-synchrony)가 심한 환자들에게 개방표지(open-label) 시사트라쿠리움(cisatracurium)을 투여했으며 이런 경우는 대조군에서 많이 발생하였다. 또한 맹검을 유지하기 위해 연구에 참여한 모든 환자는 시사트라쿠리움(cisatracurium)주입 또는 위약을 투여하기 전에 환자-인공호흡기비동기화 반응이 완전히 없어질 정도로 진정제를 투여해야 했다. 깊은 진정은 더 높은 위험과 관련되어 있는 것으로 알려져 있다. 이러한 문제점들을 간과해서는 안 된다.

마지막으로, 지난 15-20년 동안 중환자의학의 많은 개선은 "적을수록 더 좋다"는 인식과 더불어 성취되었다. 깊은 진정과 일상적인 신경근차단제 투여하기 보다는 매일의 각성시험(daily awakening trials)과 진통제투여를 먼저 시도해보는 진정전략(analgesia-first sedation strategies)으로 바뀌고 있다. 섬망을 인지하고 예방하는 것과 마찬가지로 중환자들에서 운동(mobilization)을 시켜보는 것이 점점 더 중요해지고 있다. ACURASYS연구에서 시행된 방법은 이와 같은 시대적 흐름에 뒤처질 수 있는 치료법이다.

종합하면(Putting It Together)

앞선 논쟁의 요점은 모든 ARDS 환자에서 복와위자세와 신경근차단제를 적용해야 한다는 확신을 주려는 것은 아니었지만, 복와위자세와 신경근차단제의 가치가 없다고 말하려는 것도 아니었다. 즉 두 가지 방법 모두 중등도 내지 중증ARDS 환자($PaO_2/FiO_2 \leq 150$)에서 긍정적인 역할을 할 수 있으며 증례별로 적용여부를 고려해야 한다는 것이다. 복와위자세로 효과를 볼 가능성이 아주 높은 환자는 CT영상에서 등쪽폐포단위가 심하게 경화(dorsal consolidation)된 환자들이다. 미만성폐침윤(diffuse infiltrates)이 있는 환자에서는 복와위로 자세 변경 시 호흡역학 및 폐혈류에 뚜렷한 변화를 보지 못할 수 있다. 또한 다른 문제(장골골절, 최근 흉부 또는 복부 수술, 뇌 손상 등)가 복와위자세에 악영향를 줄 수 있다. 중환자실 의료진에 대한 적절한 교육 및 훈련과 함께 복와위자세의 체크리스트를 사용하면 환자나 환자를 돌보는 의료진에게 발생할 수 있는 위험을 최소화할 수 있을 것이다.

신경근차단제의 혜택을 볼 가능성이 가장 높은 환자는 호흡기계유순도가 극도로 낮은 환자들이다. 이 환자들은 임상의사들이 최선의 노력을 했는데도 환자-인공호흡기비동기화(patient-ventilator dyssynchrony)가 발생한 환자, 복부구획증후군(abdominal compartment syndrome) 또는 두개내고혈압(intracranial hypertension) 등과 같은 동반질환을 가진 환자들이며 이런 환자들에서 흉부유순도가 개선되면 혈류역학 및 말단장기의 관류에 전반적인 개선이 일어날 수 있다. 그러나 고용량 코르티코스테로이드를 투여 받는 환자에서는 ICU획득후천성쇠약증후군(ICU-acquired weakness syndrome)의 위험이 높기 때문에 신경근차단제 사용하는 것에 대해서는 의문을 갖아야 한다.

이러한 이유로 베쿠로늄(vecuronium) 또는 판쿠로니움

(pancuronium)과 같은 아미노스테로이드성 신경근차단제 (aminosteroidal neuromuscular blockers)보다 시사트라쿠리움(호프만분해에 의해 혈장에서 benzylisoquinolone으로 대사된다)이 더 많이 처방된다. 아미노스테로이드성 신경근차단제들은 스테로이드와 동시에 투여할 때 ICU획득후천성쇠약증후군(ICU-acquired weakness syndrome)의 위험이 시사트라쿠리움(cisatracurium)보다 더 높다. 또한 아미노스테로이드성 신경근차단제는 간 및 신장대사에 의존하기 때문에 ICU에서 매우 흔하게 발생하는 간기능 또는 신기능장애 상태에서 아미노스테로이드성 신경근차단제의 대사가 느려지므로 신경근차단제의 효과가 연장될 수 있다. 신경근차단의 정도를 감시하기 위해 말초신경자극을 시행해야 하며, 매일 진정/마비(daily sedation/paralytic)를 시행하는 것을 고려해야 한다.

복와위자세 체크리스트

복와위자세 대상환자(Indications for Prone Positioning)

다음과 같은 특징을 가진 저산소호흡부전:

- PaO_2/FiO_2비율 ≤ 150
- 미만성양측 폐침윤
- CT상 등쪽폐(dorsal lung)의 경화(consolidate, 만일 CT검사가 가능한 경우)

최소 필요인원

- 기도 및 인공호흡기를 제어하는 2명의 호흡치료사(또는 자격을 갖춘 의료진)
- 4명의 체위변경인력(Turner; 간호사, 의사, 환자관리기술자, 호흡치료사 또는 실습학생일 수 있음)
- 복와위체위변경 과정자체에 직접 관여하지 않는 감독자 1명

복와위 체위변경과정

<u>준비물(PREPARE)</u>

- 눈에 윤활제를 바르고 테이프를 이용 눈꺼풀을 감긴다.
- 환자의 머리나 목에서 보석류를 제거한다.
- 재갈(bite block)들은 제거한다.
- 필요한 진통제/진정제/신경근차단제를 일시(bolus)주사한다.
- SpO_2 및 $ETCO_2$ 모니터가 제자리에 있고 잘 작동하는지 확인한다.

<u>의료진배치(POSITION)</u>

- 환자 양쪽에 각각 두 명의 체위변경인력(Turner, 총 4명)
- 환자의 머리쪽에 두 명의 호흡치료사
  - 한 명은 머리, 기도, 안면 베개를 관리한다.
  - 다른 한 명은 인공호흡기 튜브를 관리하고 백업 지원한다.
- 감독자는 침대 밑 다리 쪽에 위치한다.

<u>패드(PAD, 앙와위에서 복와위로 회전하는 경우)</u>

- 폼안면베개(face pillow)를 준비한다. 기관내관이 꼬이지 않았는지 확인한다(필요 시 폼패드의 일부를 잘라내야 할 수도 있음).
- 가슴, 하부골반 및 정강이에 좌우측에 각각 베개 2개를 고인다.

- 환자 위에 시트를 놓고(머리에서 발끝까지) 편안하게 감싸 베개를 환자에게 묶는다.

분리(DISCONNECT): 다음의 연결선을 분리한다.

- 중심정맥관(필요한 약제 일시-bolus-주사 후)
- 동맥관
- 혈액투석라인
- 심장모니터 리드
- 인공호흡기에서 연결된 기관내관
  - 산소와 연결된 자가팽창백(self-inflating bag)을 부착한다.
  - 환자의 산소화 상태에 따라 적절한 수준으로 백에 있는 PEEP밸브를 조정한다.
  - 인공호흡기를 대기상태(standby)로 준비해 놓는다.

회전(TURN)

감독자는 각 단계를 소리내어 읽고 복와위팀 구성원들은 복창한다.

- 감독자는 기도 및 인공호흡기의 튜브가 호흡치료사에 의해 제어되고 있는지 확인한다.
- 감독자는 모든 연결선과 전극이 분리되었는지 확인한다(회전과정을 방해하지 않는 한 SpO_2 및 $ETCO_2$ 모니터는 그대로 둘 수 있음).
- 감독자의 카운트에 따라 복와위팀은 환자를 **왼쪽/오른쪽(어느 쪽이든 미리 결정)**으로 돌리고 베개를 시트를 이용하여 몸에 단단히 밀착시킨다.
- 감독자가 환자의 위치를 더 이상 재조정할 필요가 없음을 확인한다.
- 감독자의 카운트에 따라 복와위팀은 환자를 **복와위(PRONE)** 또는 **앙와위(SUPINE)** 위치로 돌리고 베개와 안면패드가 올바른 위치에 있는지 확인한다.
- 호흡치료사는 기관내관이 적절한 깊이에 위치하고 또 튜브가 막히지 않았는지, $ETCO_2$의 파형이 적절하게 보이는지 감독자에게 보고한다.
- 만약 **복와위(PRONE)**인 경우 체위변경인력(Turner)은 환자의 패딩이 적절하게 되어 있고 팔과 다리가 편안한 위치에 있는지 감독자에게 보고한다.
- 만약 **앙와위(SUPINE)**인 경우 체위변경인력(Turner)은 패딩을 제거한다.
- 심장모니터 리드, 동맥라인을 재연결하고 주입을 다시 시작한다.

복와위자세를 16시간 동안 유지한 다음 앙와위자세를 8시간 유지해야 한다. 눈과 구강관리는 중요하다. 급식관이 유문후부(post-pyloric)에 삽입되어 있는 경우 복와위상태에서 관급식(tube feeding)도 허용되나 그렇지 않으면, 복와위상태에서는 관급식을 중단하고 앙와위상태로 전환 후 빠른 속도로 관급식을 시행한다.

07

흡입폐혈관확장제

Inhaled Pulmonary Vasodilators

기도양압은 전부하와 후부하(좌심실을 가로지르는 경벽압)를 모두 감소시켜 좌심실기능에 유익한 영향을 준다. 그러나 동시에 기도양압은 우심실 기능을 악화시킬 수 있다. 폐혈관은 정상적으로 압력이 낮은 회로인데 인공호흡기를 연결하면 이때 가해지는 상당한 압력이 폐혈관을 압박한다. 또한 저산소성 폐혈관수축도 우심실의 부하를 증가시킨다. 그러나 대부분의 경우 이와 같은 상황은 혈류역학에 큰 영향을 주지 못하며 수액공급(fluid loading)만으로도 우심실박출량(right ventricular output)을 유지하는데 충분하다. 그러나 일부 환자에서는 폐동맥고혈압과 우심실기능 장애가 심,폐기능에 심각한 악영향을 줄 수 있다.

중증ARDS 환자에서 우심실기능장애와 심한 우심부전이 관찰될 수 있다. 대량 또는 광범위 폐색전증, 우심실경색, 기존의 폐동맥고혈압(만성폐쇄성폐질환, 폐쇄성수면무호흡증, 결합조직질환, 원발성폐동맥고혈압 등)이 있었던 환자에서도 우심부전이 발생한다. 우심부전은 특히 치료하기 어려울 수 있다. 왜냐하면 우심실은 정상적으로 심근벽이 얇은 구조이기 때문에 낮은 혈압과 낮은 저항이 유지되는 폐동맥 순환계에서 기능이 가장 잘 유지되기 때문이다. 따라서 이와 같은 구조의 우심실은 갑작스러운 폐혈관저항의 증가를 감당하기 어렵다. 이는 우심실에는 좌심실과 같은 근육량이 없기 때문이다. "심장을 채찍질"하기 위해 밀리논(milrinone)이나 도부타민(dobutamine)과 같은 수축촉진제(Inotropes)를 사용할 수 있지만 심박출량이 증가하는 동시에 심근산소소모량도 증가하게 되어 실제적인 효과는 보지 못하는 경우가 많다. 이와 같은 상황에서는 선택적 폐동맥혈관확장제가 도움이 될 수 있다.

중환자의학에서 가장 흔히 사용되는 폐동맥확장제는 흡입산화질소(iNO)이다. iNO는 마스크 또는 기관내관(endotracheal tube)을 통해 투여할 수 있으며 폐동맥과 폐모세혈관에 빠른 혈관확장 효과를 나타낸다. iNO의 한 가지 특별한 장점은 iNO가 작용하는 폐포모세혈관에만 혈관확장을 유발한다는 것이다. 이로 인해 중증 저산소혈증 환자에서 환기-관류균형을 개선하는 효과가 있다. 흡입프로스타사이클린도 사용 가능하며 생리적 효과는 동일하다. 프로스타사이클린(prostacyclin) 및 알프로스타딜(alprostadil)과 같은 폐혈관확장제를 정맥주사로 투여할 수 있지만 혈류역학에 대한 작용이 훨씬 더 강하여 저혈압을 유발하는 경향이 종종 있다.

흡입프로스타사이클린에 대한 임상연구는 많지 않아서 근거의 기반이 부족하다. 그러나 iNO가 조금 더 광범위하게 연구되었으므로 다음의 추가적인 토의는 iNO치료에 중점을 두겠다. 이는 흡입 프로스타사이클린이 효과가 없다는 것을 의미하지 않으며 비슷한 임상상황에서는 흡입 프로스타사이클린이 iNO만큼 효과가 있을 수 있다. 또한 iNO 또는 흡입프로스타사이클린은 성인 ARDS 환자나 우심실부전 환자에서 사용할 수 있도록 FDA의 승인을 받지는 못했고 따라서 이 두 흡입제를 투여하는 것은 허가범위 초과사용(off-label)에 해당한다.

흡입폐혈관확장제의 매력은 여러가지인데 흡입약제가 도달할 수 있는 폐단위에서만 선택적인 혈관확장을 유발하는 것과 빠른 약효발현(onset)과 중단 후 신속한 약효소실(offset)의 특징이 있다. 또한 이 흡입제들의 혈류역학적 악영향은 매우 적게 나타나며 하향경로(downstream) 대사산물도 없다는 것이다. 수년간 이것은 사실로 받아들여졌다. 즉 iNO는 폐모세혈관에서 헤모글로빈과 반응하여 즉시 비활성화되는 것으로 믿어졌다. 그러나 최근의 연구에 의해 이는 사실이 아님이 밝혀졌다. iNO는 헤모글로빈과 반응하여 아질산염(nitrate)과 S-니트로소헤모글로빈(nitrosohemoglobin)을 형성한다. 아질산염은 하향경로 조직에서 산화질소로 재활용되어 전신모세혈관확장을 일으킬 수 있다. 또한 S-니트로소헤모글로빈(nitrosohemoglobin)은 조직저산소상태에서 산화질소의 생성을 유인한다. 이로 인한 혈관확장과 탈산소화는 미토콘드리아 기능장애를 일으킬 수 있다. 이런 사실은 iNO를 투여했을 때 신부전의 발생비율이 높았던 임상연구에서 확인되었다.[33] 이러한 대사산물의 독성효과는 신장에만 국한되지 않으며 아마도 iNO의 대사산물이 다장기부전에 관여할 수 있음을 의미한다

iNO와 ARDS (iNO and ARDS)

ARDS환자에서 iNO는 폐혈관을 선택적으로 확장하여 산소화를 개선할 수 있다. 그러나 이 치료법의 생존유익(survival benefit)이 확인된 임상연구는 없었으며, 최근 이 주제와 관련된 9개의 임상연구에 대한 메타분석결과에 따르면 산화질소는 저산소혈증의 정도와 관계없이 성인이나 어린이 ARDS환자에서 사망률을 감소시키지 못한다.[34] 산소화를 개선하지만 생존율의 향상이 없었던 다른 ARDS치료법과 마찬가지로 iNO도 생존유익이 없었는데 이는 ARDS환자에서는 불응성저산소혈증으로 사망하는 환자가 매우 적기 때문이다. 따라서 iNO에 의해 산소화가 개선되더라도 생존유익의 향상을 기대하기는 어렵다. 대부분의 ARDS 환자는 다장기부전으로 사망하게 되는데 iNO 대사산물의 잠재적인 독성은 다장기부전을 악화시킬 수 있다. 따라서 iNO는 ARDS환자에서 진정한 구조요법으로 사용하는 경우에만 제한적으로 투여해야 한다. 즉 여러가지 최선의 치료에도 불구하고 PaO_2/FiO_2 비율이 55 미만이고 효과가 검증된 다른 구조요법(복와위, 정맥-정맥 ECMO)의 치료대상이 되지 못하는 환자에서만 투여하는 것이 좋겠다.

iNO 및 우심실부전(iNO and Right Ventricular Failure)

급성우심실부전은 일차적으로 수액공급(fluid loading)과 심장수축촉진제(inotropic support)를 투여하여 치료한다. 도부타민(dobutamine)과 밀리논(milrinone)은 우심실 수축력을 증가시키는 수축촉진제(inotropes)이다. 포스포디에스테라제-III 억제제인 밀리논(milrinone)은 특징적으로 폐혈관확장기능을 갖고 있다. 레보시멘단(levosimendan)은 또 다른 칼슘민감성 심장수축혈관확장제(inodilator)이지만 미국에서는 시판되고 있지 않다.

우심실부전은 중등도부터 중증저산소혈증 및 폐기능장애와 종종 관련이 있다. 높은 수준의 PEEP를 적용하는 통상적인 기계환기법이나 평균기도압이 증가되는 환기전략(예: APRV)은 우심실기능을 약화시키고 폐혈관압을 증가시킬 수 있다. 그런데 흡입산화질소 또는 프로스타사이클린은 폐혈관저항을 낮추어 우심실기능을 개선하고 가스교환을 호전시키기 위해 사용할 수 있다.

흡입폐혈관확장제를 우심실부전 환자에서 투여할 때는 폐동맥카테터의 설치를 강력히 권장한다. 심초음파검사로도 수축력을 평가하고 폐동맥압을 측정할 수 있지만 지속적으로는 사용할 수 없으며 따라서 약물을 적정(titrating)하는 데에도 적합하지 않다. 그러나 폐동맥카테터를 이용하면 폐동맥압, 심박출량 및 SvO_2를 지속적으로 측정할 수 있다. 또한 폐혈관저항을 계산하는 데에도 사용할 수 있다. 또한 폐동맥고혈압을 유발하는 상태와 폐정맥고혈압과 관련된 상태를 구별하는 것에도 매우 유용하다. 선택적 폐혈관확장제는 폐동맥고혈압에 대해 더 효과적인 경향이 있다.

폐혈관저항(pulmonary vascular resistance, PVR)은 평균폐동맥압(mean pulmonary artery pressure, mPAP)과 호기말폐동맥폐색압(pulmonary artery occlusion pressure, PAOP)을 측정하여 계산할 수 있다. 두 측정치 간의 차이를 심박출량(L/min)으로 나누면 폐혈관저항(pulmonary vascular resistance, PVR)을 계산할 수 있다.

$$\mathbf{PVR} = \frac{\mathbf{[mPAP - PAOP]}}{\mathbf{[CO]}}$$

정상 평균폐동맥압(20 mm Hg), 폐동맥폐색압(10 mm Hg) 및 심박출량(5 L/min)을 가진 환자의 폐혈관저항은 2 mm Hg -min/L 또는 Wood Units이므로 정상 PVR은 2-3 Wood Units이다.* 평균폐동맥압과 폐동맥폐색압이 모두 상승하는 상태(가장 흔하게는 좌심실기능장애에서, 그리고 승모판 및 대동맥판막질환에서도 관찰됨)는 폐동맥고혈압이 관찰되지만 PVR은 정상인 것이 특징이다. 이를 종종 폐정맥고혈압이라고 한다.

* PVR은 종종 dyne-sec/cm^{-5}로 표현된다. 이것은 Wood units에 79.9를 곱하여 계산한다. 왜 그런지 잘 모르겠으나 Wood units를 사용하는 것이 더 쉽다. (1 Wood Unit, WU=80.dyne.sec/cm5)

좌심방압이 높은 경우 혈류를 유지하기 위해 우측심장압도 높아진다. 어떤 종류의 폐혈관확장제라도 사용 시에는 주의해야 할 필요가 있는데 만약 폐혈관확장제의 투여로 평균폐동맥압은 낮아지는데 폐동맥폐색압(=좌심방압)은 계속 높은 상태가 유지되면 종종 폐부종이 유발되기 때문이다.

예를 들어, 심한 수축기 울혈성심부전(CHF)이 있는 환자를 생각해보자. 이 환자의 mPAP가 40 mm Hg이고 PAOP는 30 mm Hg이다. 이때 PAOP(일명 폐동맥쐐기압)는 좌심방압을 나타낸다. 좌심방압(LAP)은 좌심방에서 좌심실로 향하는 혈류가 정지하는 즉 좌심실이완기말압(LVEDP)과 같다. 심한 울혈성심부전에서는 좌심실이완기말압(LVEDP)이 상승한다. 혈액이 우심실에서 폐혈관계를 지나 좌심실로 이동할 수 있는 유일한 방법은 폐동맥압(mPAP)이 좌심실압(즉, PAOP)보다 높아져야 한다. 그런데 이 환자에서 iNO 흡입을 시작한다고 상상해 보자. 예상하는 것처럼 mPAP가 떨어지게 될 것이다. 그러나 iNO는 선택적 폐혈관확장제이므로 좌심실후부하의 감소는 발생하지 않는다. 따라서 좌심방압은 떨어지지 않고 iNO 투여 전과 동일하게 유지된다. 즉 mPAP가 28 mm Hg로 낮아지는데 PAOP는 30 mm Hg로 변함이 없다면 혈류의 흐름이 어떻게 될지는 쉽게 예상할 수 있다. 이렇게 되면 혈류는 역전되고 따라서 폐부종과 저혈압이 발생하게 될 것이다.

반면에, 폐동맥고혈압은 mPAP와 PAOP 사이의 불균형이 특징이다. 혈전색전성질환(throboembolic disease), 결합조직질환 및 만성저산소혈증이 폐동맥고혈압의 흔한 원인이다. mPAP 45 mm Hg, PAOP 15 mm Hg, 심박출량 6 L/min인 환자에서 PVR은 5 Wood units이며 폐동맥고혈압을 시사한다. 우심실기능장애가 있으면서 PVR이 4 units 이상인 경우 폐혈관확장제 투여로 호전될 수 있다.

그러나 흡입산화질소 또는 프로스타사이클린은 그 자체가 치료는 아니고 보조요법이라는 것을 잊지 않는 것이 중요하다. 따라서 우심실부전의 기저질환을 적극적으로 치료해야 한다. 예를 들어 폐색전증은 항응고제 및 혈전용해제로 치료해야 한다. 낫적혈구병(sickle cell disease) 환자의 급성흉부증후군(acute chest syndrome)은 항생제와 교환수혈로 치료해야 한다. 급성심근경색증은 재관류요법으로 치료해야 한다. 그리고 체액의 용적상태(volume status)에 주의를 기울이는 것이 중요하다. 확실히 혈량저하증(hypovolemia)은 저혈압과 관계있고 또 용적과부하(volume overload)는 심실중격을 좌심실쪽으로 변이(bowing)하게 하여 좌심실충전(left ventricular filling)을 방해한다. 따라서 심초음파 및/또는 폐동맥카테터로 감시하면서 이뇨제 또는 신장대체요법(CRRT 등) 등을 적용해서 정상혈량증(euvolemia)을 달성해야 한다.

iNO 및 흡입프로스타사이클린의 투여(Administration of iNO and Inhaled Prostacyclin)

iNO는 장기간 신뢰성과 안전성이 검증되어 시중에 판매되고 있는 공급장비를 이용해 투여할 수 있다. 승인을 받지 못한 자

체제작 공급장비를 사용하게 되면 신뢰할 수 없는 용량의 iNO가 투여될 위험이 있고 따라서 환자나 의료진이 이산화질소(nitrogen dioxide)의 독성에 노출될 잠재적 위험이 있다. 반드시 상업용 장비를 사용하기 바란다!

흡입프로스타사이클린은 식염수에 녹여서 인공호흡기에 연결하여 사용할 수 있도록 변형된 제트네블라이저(jet nebulizer system)로 투여한다. 이를 위해서는 문헌에 설명된 것과 같이 인공호흡기의 흡기주기에 맞추어 흡입약제를 투여할 수 있는 에어로솔전달장치(aerosol delivery device)가 필요하다.[35]

iNO의 초기용량조절(Initial Dosing of iNO)

iNO의 투여는 20 ppm부터 시작해야 한다. 성공적인 반응은 mPAP가 최소 10 % 감소하고 일반적으로 PaO_2가 최소한 20 mm Hg 정도 개선되는 것이다. 투여 후 5-10분 이내 환자의 반응이 없으면 고농도(40 ppm 또는 심지어 80 ppm) 투여를 시도할 수 있다. 반응을 보이는 대부분의 환자는 20 ppm에서도 반응한다. iNO 투여 후 초기반응이 없는 환자에서는 중단해야 한다.

반응이 있는 환자는 iNO 용량을 15-30분마다 5-10 ppm씩 낮춰 최저 5ppm까지 낮추도록 한다. iNO 감량 중 mPAP가 ≥ 5 mm Hg 상승하거나 SpO_2가 ≥ 5% 감소하면 효과가 있었던 수준으로 iNO의 투여량을 다시 증가시켜 투여해야 한다.

iNO의 초기용량조절알고리듬(iNO Initial Dosing Algorithm)

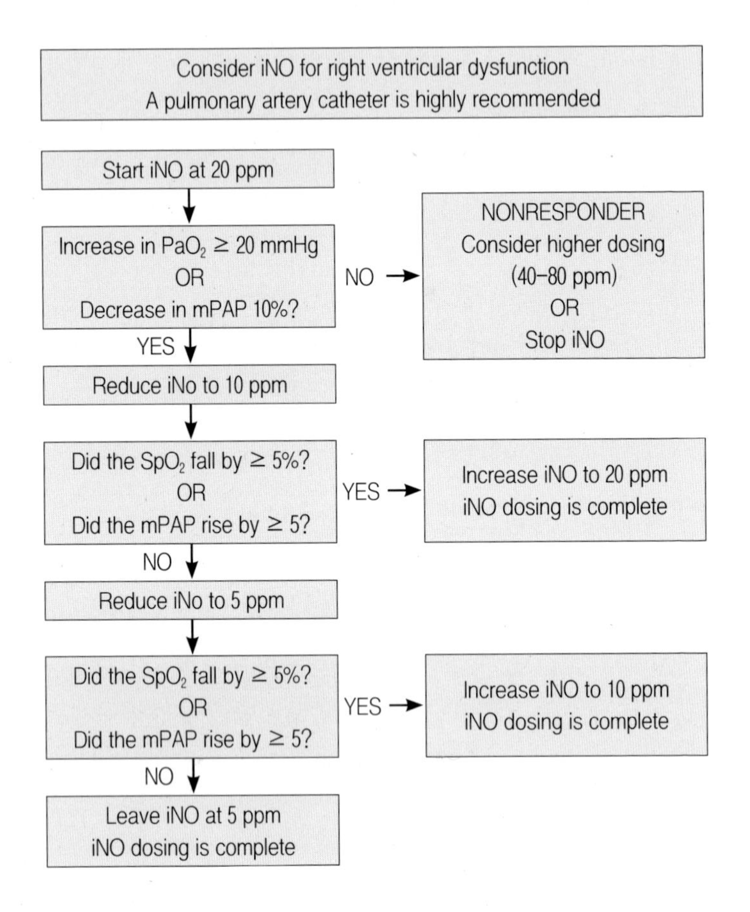

iNO이탈(Weaning iNO)

환자가 회복징후를 보이기 시작하면(가스교환개선, 수축촉진제의 필요성 감소) iNO를 줄이거나 완전히 중단할 수 있다. 그러나 iNO을 갑작스럽게 중단하면 저산소혈증과 폐동맥고혈압의 반동현상이 발생할 수 있으므로 천천히 진행한다.

만약 환자가 iNO를 5 ppm까지 줄여도 문제가 없으면 iNO를 끊을 수 있다. iNO 투여량은 매 30분마다 1 ppm씩 줄여야 한다. iNO를 감량하는 도중 mPAP가 5 mm Hg 이상 증가하거나 SpO_2가 5% 이상 떨어지면 iNO를 다시 5 ppm으로 높여야 하며 iNO의 이탈을 위한 추가 시도는 최소 12시간 이상 연기해야 한다. iNO를 2 ppm까지 줄일 수 있으면 실데나필 20 mg을 1회 투여할 수 있다(만약 실데나필 투여력이 없었던 경우에는). 실데나필은 iNO를 중단할 때 발생할 수 있는 반동성폐동맥고혈압(rebound pulmonary hypertension)을 예방하는 데 도움이 될 수 있다. 실데나필 투여 후 iNO를 30분마다 1 ppm씩 줄여 최종적으로 중지한다.

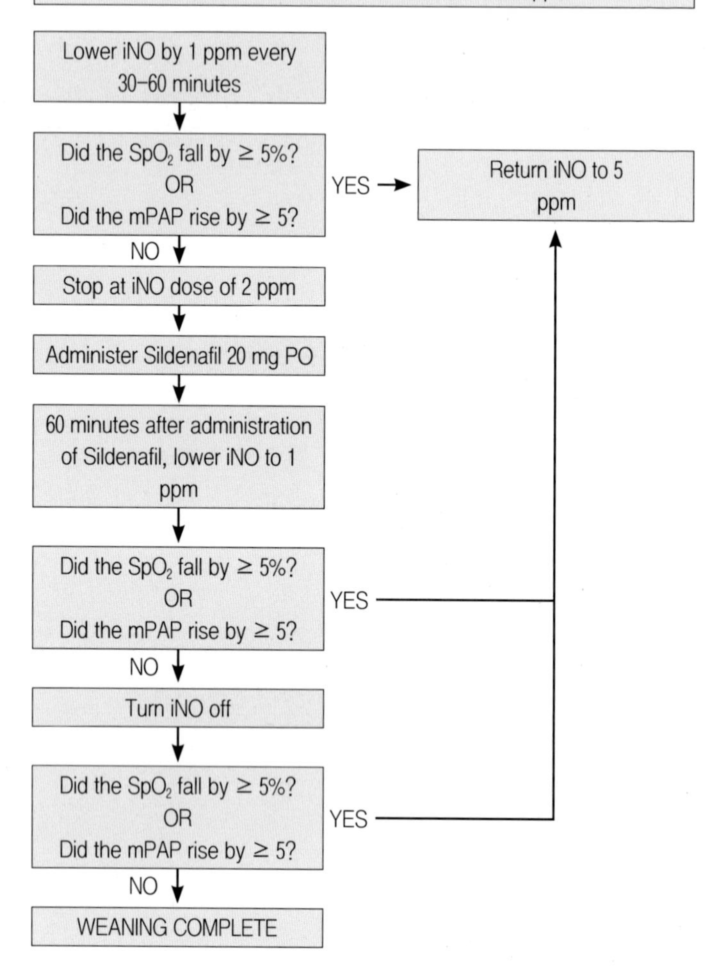
Begin weaning iNO once the patient's hemodynamics and respiratory status have stabilized at an iNO dose of 5 ppm
Lower iNO by 1 ppm every 30–60 minutes
Did the SpO_2 fall by ≥ 5%? OR Did the mPAP rise by ≥ 5?
YES
Return iNO to 5 ppm
NO
Stop at iNO dose of 2 ppm
Administer Sildenafil 20 mg PO
60 minutes after administration of Sildenafil, lower iNO to 1 ppm
Did the SpO_2 fall by ≥ 5%? OR Did the mPAP rise by ≥ 5?
YES
NO
Turn iNO off
Did the SpO_2 fall by ≥ 5%? OR Did the mPAP rise by ≥ 5?
YES
NO
WEANING COMPLETE

08

정맥-정맥간 체외막산소화요법

Veno-Venous ECMO

환자의 폐질환이 너무나 심해서 적절한 가스교환이 불가능하거나 또는 적용하면 안 될 정도의 높은 기도압과 일회호흡량을 설정해야만 적절한 가스교환이 가능한 경우가 있다. 이때 구조요법으로 반드시 고려해야 할 방법은 정맥-정맥간 체외막산소화(veno-venous extracorporeal membrane oxygenation, VV ECMO)요법이다. 이번 장에서는 독자들이 체외막산소화요법(ECMO) 사용에 대한 단순한 개요와 ECMO를 적용하는 이론적 근거(rationale)에 익숙해질 수 있도록 기술하였다. ECMO로 환자를 치료하기를 원하는 의료인들은 Extracorporeal Life Support Organization (ELSO, https://www.elso.org/)가 후원하는 교육프로그램에 참여할 것을 적극 추천한다.

VV 대 VA(VV vs. VA)

VV ECMO는 VA ECMO와 상당히 다르다. VA ECMO는 체외순환(heart-lung bypass)과 유사하며 대퇴정맥(femoral vein)에 삽입된 캐뉼라를 통해 빠져나온 혈액이 산소공급기(oxygenator)를 통과하며 완전히 산소화되고 이 혈액은 대퇴 또는 쇄골하동맥(femoral or subclavian artery)에 삽입된 캐뉼라를 통해 환자에게 되돌아간다(그림 1). 신생아에서는 경동맥이 자주 사용되나 성인인 경우 뇌졸중 위험이 있어 경동맥은 피한다. VA ECMO를 사용하면 체외회로(extracorporeal circuit)가 폐와 심장시스템을 모두 보조할 수 있다. 펌프를 통과하는 혈류가 최중증의 심부전도 보조할 수 있다. 실제 성인에서 VA ECMO의 주요 적응증은 불응심장쇼크(refractory cardiogenic shock)이다.

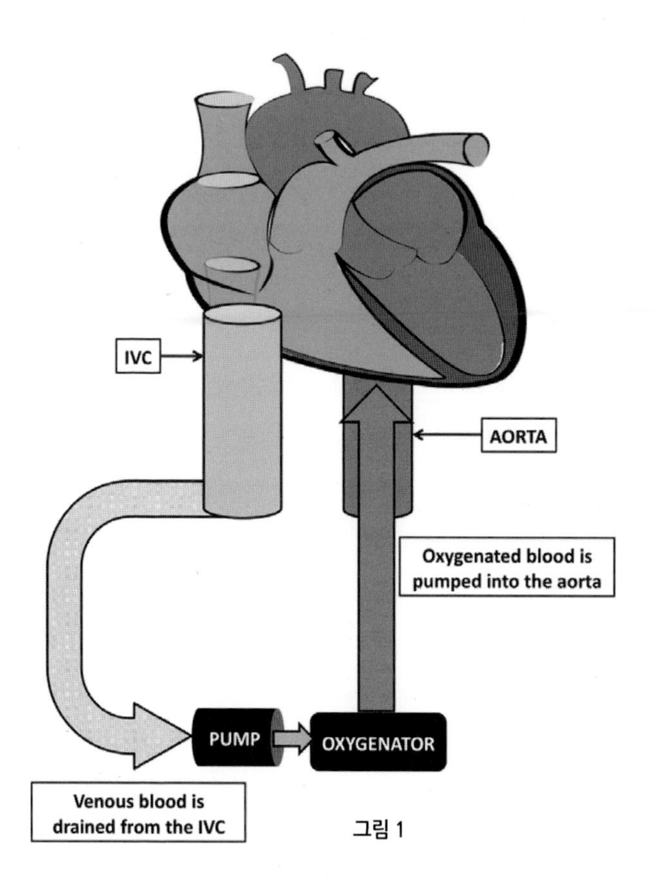

그림 1

VA ECMO회로는 산소화된 혈액을 대동맥으로 직접 배출하여 호흡 및 심장기능 보조를 모두 제공한다. 펌프혈류는 필요한 경우 심박출량 전부를 대체하기에 충분하다.

반면에 VV ECMO는 심장기능 보조를 제공하지 않는다. 하대정맥(inferior vena cava)의 혈액을 대퇴정맥(femoral vein)에 삽입된 캐뉼라를 통해 빼내서 산소공급기로 보내면 여기에서 산소화된 혈액은 내경정맥(internal jugular vein)에 삽입된 캐뉼라를 통해 우심방으로 되돌아간다(그림 2).

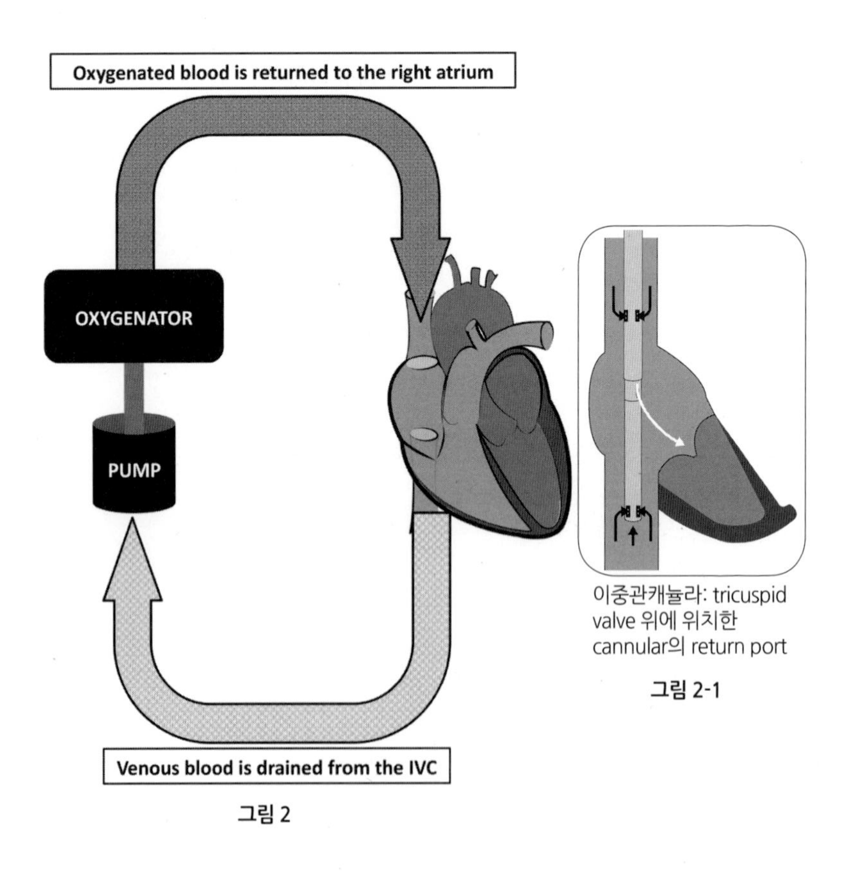

그림 2

이중관캐뉼라(Dual-lumen cannulas)도 사용할 수 있으며 이중관혈액투석카테터와 유사하게 작용한다(물론 4-7 L/min의 유량을 수용하기 위해 훨씬 더 굵지만). 이중관캐뉼라를 우측내경정맥(right internal jugular vein)을 통해 삽입하며 상대정맥을 통과하여 하대정맥에 위치한다. 사이펀(siphon) 또는 정맥혈이 배출되는 포트는 IVC에 있는 캐뉼라 끝에 있다. 경식도심초음파를 시행해 보면서 캐뉼라를 움직여 산소화된 혈류가 되돌아오는 포트(return port)를 삼첨판밸브 위로 향하도록 한다. 이렇게 하면 재순환(recirculation)의 위험을 줄이는 데 도움이 된다(그림 2-1).

VV ECMO는 어떻게 호흡보조를 제공하나?(How VV ECMO Provides Respiratory Support)

VV ECMO를 시각화하는 가장 좋은 방법은 VV ECMO 전체회로를 확장된 우심방으로 생각하는 것이다. 정상상태에서 우심방으로 되돌아오는 정맥혈의 SvO_2는 70-80%이다. 그러나 심한 저산소혈증 환자의 SvO_2는 보통 50-60% 정도이며 이것은 정상보다 훨씬 낮다. 정맥혈은 폐혈관계(pulmonary vascular system)를 지나면서 산소를 흡수하고 CO_2를 방출(환기되어 배출되는)하게 된다. 그러나 중증ARDS환자에서 기계환기를 통해 가스교환이 이뤄지는 정도는 상당히 제한적이다. 예를 들어 SvO_2가 50% 정도인 환자에서 100% 산소를 공급하고 또 높은 수준의 PEEP를 설정하더라도 SaO_2는 80% 정도 밖에 상승하지 못한다.

VV ECMO를 시작하면 정맥혈의 일부(전부는 아님)가 ECMO회로로 들어온다. 펌프가 4-7 L/min의 유속으로 정맥혈을 막형산소공급기(membrane oxygenator)로 보내면 산소공급기를 통과한 정맥혈은 헤모글로빈이 산소로 완전히 포화되며 PaO_2가 400-500 mm Hg까지 상승할 수 있다. SaO_2가 100%인 혈액이 우심방으로 되돌아오면 남아있던 정맥혈과 혼합되어 폐혈관계를 지나게 된다. 정맥혈 절반의 SvO_2가 60%이고 나머지 절반은 ECMO회로를 지나온 덕분에 SvO_2가 100%이라면 폐순환을 통과하는 전체 정맥혈의 SvO_2는 대략 80%가 된다. 펌프유량이 클수록 ECMO회로를 통과하여 IVC로 돌아온 산소화된 정맥혈의 비율이 더 많아지게 되고 전체 정맥혈의 SvO_2는 더 높아진다. 대부분의 환자에서 총 SvO_2가 85-90%인 지점까지 ECMO유량을 증가시킬 수 있다.

이 점이 VV ECMO가 정말 멋지게 보이는 지점이다. 또한 이 지점에서 당신은 산소전달원리를 기억해내야 한다[제1장 참조]. 심박출량과 헤모글로빈이 충분히 높으면 경증부터 중등도의 저산소혈증 상태이더라도 조직으로의 산소전달은 유지될 수 있다. 다르게 말하면, SaO_2가 80-85%인 저산소혈증 상태이지만 심박출량이 충분하고 결합된 산소를 운반하기에 충분한 헤모글로빈이 있는 한 SaO_2 80-85%는 전혀 문제가 되지 않는다.

SaO_2가 80-85%이면 세포대사가 진행되기에 충분하므로 (적절한 심박출량 및 헤모글로빈이 있으면) VV ECMO에 의해 SvO_2가 80-85%정도 유지될 수 있다면 폐를 통한 가스교환이 전혀 필요하지 않다. 이는 매우 중요한 점이며 VV ECMO가 중증

ARDS에서 효과적인 구조요법이 될 수 있는 이유를 이해하는데 기초가 된다. 만약 정맥혈의 SvO_2가 85%이고 정맥혈이 폐를 통과한 후 좌심방에 도달하는데 만약 혈액이 폐를 통과해도 추가적인 산소화가 진행되지 않는 경우 SaO_2는 85%이다. 그러나 충분한 심박출량과 헤모글로빈이 있는 경우에는 SaO_2 85% 정도면 전신산소공급이 충분하게 이뤄지는 것은 이미 설명했으므로 높은 PEEP, 높은 호흡수 또는 중증호흡부전에서 흔히 사용하는 방법 등으로 "폐를 때릴(beat up the lungs)" 필요가 없다. 대신에 인공호흡기의 설정을 보통 "휴식설정"이라 간주할 정도로 설정하면 된다.

VV ECMO에서 인공호흡기 "휴식설정"*

- 압력제어환기
- 호흡수; 분당 10회
- I-time 1.0-2.0 초, 편하도록 조정함
- PINSP 25 cm H_2O
- PEEP 10 cm H_2O
- FiO_2 30 %

* 호흡부전에서 VV ECMO를 적용하는 전체적인 요점은 '폐를 쉬게 하고 손상에서 회복시키는 것'임을 항상 기억하라. 흉부X선에서 폐전체가 하얗게 보이고 이 상태에서 일회호흡량이 100 mL 미만이라면 ECMO를 시행하도록 하자! 가스교환을 위해 인공호흡기를 사용하려는 유혹에 저항하기 바란다. 이때는 ECMO회로가 일하게 하자.

ECMO회로의 가스교환은 산소공급기를 통과하는 '혈류'와 산소공급기의 막을 통과하는 '산소가스유량(흐름)'의 함수이다. 막을 가로질러 흐르는 산소를 '스윕가스(sweep gas)'라고 하는데 그 이유는 산소가 막에 접촉한 혈액에서 CO_2를 "제거(sweeps off)"하기 때문이다. CO_2는 산소보다 훨씬 더 높은 용해도를 갖고 있으므로 스윕가스의 유량(흐름)을 증가시키면 CO_2가 빠르게 제거된다. 그리고 막형산소공급기를 지나는 혈류의 속도를 높이면 산소화를 증가시킬 수 있다. 간단히 말해서, 막형 ECMO회로의 혈류는 산소공급을 제어하고, 스윕가스의 유량(흐름)은 환기를 제어한다. 스윕가스는 보통 2-6 L/min이다. 스윕가스의 FiO_2는 ECMO회로에서 최대한 빠른 산소화를 위해 초기에는 1.0으로 설정된다.

VV ECMO의 초기설정

- 50-60 mL/kg의 혈류순환
- 환자 SaO_2가 80-85% 정도 유지되도록 ECMO회로의 혈류를 조정한다.
- 스윕가스의 FiO_2는 100 %
- ECMO회로의 혈류와 거의 동일하게 스윕가스 유량을 설정한다.
- $PaCO_2$ 35-45 mm Hg가 유지되도록 스윕가스 유량을 조정한다.

대부분의 경우 어느 정도는 인공호흡기 보조가 필요하다. 이는 추가적인 가스교환을 보조하고자 함이 아니라 환자의 편안함을 개선하고 합병증을 예방하기 위한 것이다. 만약 VV ECMO를 설치한 다음 기관내관을 발관(extubate)하면 폐를 지지하는 양압이 없어져 폐포의 대부분 또는 전부가 허탈(collapse) 또는 경화

(consolidation) 상태에 빠지게 된다. 이렇게 되면 심한 빈호흡과 호흡곤란이 유발될 수 있다. 또한 폐포경화(alveolar consolidation)는 기관지에서 분비물의 정상적인 제거를 방해하여 폐렴이나 폐농양으로 발전할 수 있다.

VV ECMO에 대한 최근 경험에 따르면 환자상태가 회복함에 따라 인공호흡기를 중지하는 시간이 점점 더 길어진다. 이것은 VV ECMO를 시행하고 있는 중에도 물리치료와 환자의 운동(mobilization)을 좀더 일찍 시작할 수 있다는 것을 의미하기 때문에 중요하다. 이는 내경정맥에 설치하는 이중관캐뉼라를 사용하면 훨씬 쉽다. 진정제를 줄이고 환자의 운동(mobilization)을 시작하기 위해 적절하면 가능한 조기에 기관절개술을 시행해야 한다. 중증ARDS환자에서 ECMO장비가 뒤따라가고 환자는 복도를 걸어가는 것을 보는 것만큼 멋진 광경은 없다!

VV ECMO의 이탈(Weaning VV ECMO)

환자가 회복되기 시작하면 스윕가스의 FiO_2를 낮출 수 있다. 그러나 아직은 설정되어 작동하고 있는 기존의 ECMO회로 혈류량(circuit flow)을 낮추면 안된다. 혈류량이 낮아지면 ECMO회로 안에 혈전증의 위험이 증가되기 때문이다. VV ECMO는 정말로 커다란 우심방과 같다는 것을 다시 한번 명심하라. 스윕가스의 FiO_2가 감소하면 산소공급기를 통과하는 혈액은 더 적은 산소를 흡수한다. 이는 환자의 폐를 통해 이뤄지는 가스교환의 비율이 증가하고 있음을 의미한다. 스윕가스의 FiO_2가 0.21이 되면 ECMO회로는 환자의 산소공급에는 전혀 기여하지 않게 된다. 이 모든 것은 "휴식설정"의 기계환기보조 상태에서 진행한다. 이때 혈액은 단순히 커다란 우심방을 지나가는 것이며 산소화과정이 일어나지는 않는다. 환자의 상태가 적절하면 ECMO를 중단한다.

환자선정(Patient Selection)

중증급성호흡부전에서 VV ECMO를 시행할 때 흔하고 가장 어려운 문제는 환자를 선정하는 것이다. 수년 동안 ECMO는 주로 영아호흡곤란증후군(infant respiratory distress syndrome), 태변흡인(meconium aspiration) 및 선천성횡격막탈장(congenital diaphragmatic hernia) 등을 앓고 있는 신생아들에게 시행되었다. 그러나 최근 수 년 동안 ECMO는 좀 더 나이든 어린이와 성인에서 더욱 널리 시행되고 있다. 2009년 H_1N_1 인플루엔자대유행(pandemic) 시 구조요법으로서 ECMO, 특히 VV ECMO적용에 대한 관심이 가속화됐다. 2009년 The Lancet에 발표된 CESAR 연구는 ECMO센터로 이송된 중증인플루엔자관련 ARDS 환자에서 ECMO치료의 생존혜택을 입증했다.[36] 그러나 ECMO군으로 무작위배정된 환자 중 75%만 실제 ECMO를 시행 받았다는 것은 흥미로운 사실이다. 이 연구결과 ECMO군에서 생존혜택이 증명된 진정한 이유는 ECMO치료 그 자체 때문이 아니라

ECMO를 포함한 여러 가지 구조요법을 제공할 수 있을 정도로 적절한 전문성과 능력을 갖춘 대규모전문센터에서 환자를 치료했기 때문이었을 수 있다.

VV ECMO의 적응증(Indications for VV-ECMO)

- 예측된 사망위험율이 50% 이상인 저산소호흡부전
  a. FiO_2 > 90%에서 6시간 또는 그 이상 최상의 치료를 했는데도 불구하고 PaO_2/FiO_2 ratio가 150 미만인 경우
  b. 6시간 또는 그 이상 최상의 치료를 했는데도 불구하고 Murray Score*가 3 이상인 경우
- 치료에 반응이 없는 pH 7.15 미만의 고탄산호흡부전
- 잠재적으로 가역적인 원인에 의한 호흡부전의 급성발병
- 나이 ≤ 65
- 최적의 치료에도 반응이 없는 전격성호흡부전(immediate respiratory collapse, 예: 기도폐쇄 등)

VV ECMO의 금기증 †

- 높게(예: $FiO_2 \geq 90$ %, P_{PLAT}> 30, PEEP ≥ 15) 설정된 상태에서 7일 이상 기계환기를 시행한 환자
- 항응고제에 대한 금기증이 있는 경우
- 절대호중구수 < 500/mm^3
- 중증CNS손상 또는 기타 비가역적인 동반질환
- 나이> 65 세
- 만성호흡기질환이 진행되어 발생한 호흡부전

VV ECMO를 시작하기 전 환자상태를 좋게 하기 위해 우선 다음과 같은 단계를 시행해 보아야 한다. 이 모든 것이 ECMO시작을 위한 캐뉼라를 만들기 전에 필요한 것은 아니지만 나의 선호도에 따라 나열하였다.

1. ARDSNet 연구프로토콜을 따라 4-6 mL/kg, PBW의 일회호흡량과 PEEP을 적용한 폐보호기계환기
2. 최대 35 cm H_2O의 P_{HIGH}를 적용한 기도압방출환기(airway pressure release ventilation, APRV)
3. 16시간 동안 복와위자세, 8시간 동안 앙와위자세

---

* http://cesar.lshtm.ac.uk/murrayscorecalculator.htm

† 금기증은 절대적인 것이 아니라 상대적인 것이다. 그러나 이 같은 상태가 존재한다는 것은 치료실패의 위험이 높은 것과 관련이 있다.

4. 혈류역학적으로 허용되는 경우 이뇨제 투여나 또는 CRRT로 건조체중(dry weight)이 105% 이내로 유지되게 조절함
5. 기관지내시경으로 기관-기관지나무(tracheobronchial tree)의 치료적인 흡인(therapeutic aspiration)을 시행

앞서 언급한 치료법으로 환자가 호전되지 않는 경우 VV ECMO팀의 투입을 반드시 고려해야 한다. 시도할 수 있는 추가적인 구조법(rescue maneuvers)은 다음과 같다.

6. 흡입산화질소
7. 고빈도진동환기

ELSO (Extracorporeal Life Support Organization)는 환자선정(patient selection), 의뢰(referral) 등과 관련된 광범위한 전문가진료지침을 다음의 웹사이트(www.elso.org)에서 제공한다.

VA ECMO에서 인공호흡기치료(Ventilator Management on Veno-Arterial ECMO)

이번 장의 대부분은 중증호흡부전에 대한 구조요법으로써 VV ECMO에 관한 것이었다. VV ECMO시행 중 인공호흡기치료는 매우 쉽다. ECMO회로가 힘든 일을 수행하게 하면 되고 인공호흡기는 폐에 손상을 주지 않으면서 단순히 폐가 열린 상태

만 유지하면 된다. 앞서 기술한 것처럼 일회호흡량을 100 mL 미만으로 설정하는 것도 아주 흔하며 큰 문제는 없다. 어쨌든 VV ECMO의 요점은 환자의 폐를 쉬게 하면서 손상된 폐를 회복시키는 것이다.

반면에 VA ECMO를 적용하면 ECMO회로를 통해 산소화된 혈액은 대동맥에 공급되는 반면 대동맥근부(aortic root)의 혈액은 환자 자신의 심폐기능에 더 많이 의존한다는 점을 명심해야 한다. 즉, 폐순환을 통과해 좌심방과 좌심실을 지나는 혈류는 우선적으로 관상동맥골궁(coronary ostia)과 대동맥궁(aortic arch)에 전달된다. 따라서 관상동맥에 공급되는 산소는 여전히 기계환기보조에 의해 폐를 통해 공급된 산소가 전달되고 나머지 신체부분, 특히 흉부하부와 복부는 ECMO회로로부터 산소를 공급받는다.

VA ECMO에서 신체의 각기 다른 부위가 정확히 어느 정도 관류되는 지는 심장이 얼마나 튼튼한 지에 따라 달라진다. 우선 심장기능이 전혀 없는 환자를 생각해 보자. 관상동맥골궁(coronary ostia)을 포함한 이 환자의 모든 동맥혈류는 ECMO 회로로 부터 공급된 혈류에 의해 좌우된다. 그런데 만약 이 환자의 심장기능이 회복되기 시작하면 환자의 심장은 혈액을 대동맥궁으로 배출(pumping)하기 시작할 것이다. 심장기능이 회복될수록 점점 더 많은 혈액을 관상동맥과 대동맥궁을 통해 나가는 혈관으로 보낸다. 따라서 하반신은 ECMO회로를 지나온 산소가 풍부한 혈액이 공급되므로 산소공급이 잘되는 반면 환자의 폐를 통과해 산소화되고 자신의 심장이 박출한 혈액이 공급되는 상체(뇌를 포함)는 상대적으로 저산소상태에 빠질 수 있다. 이런 상태를 "푸른코증후군(blue nose syndrome) 또는 할리퀸증후군(Harlequine syndrome)"이라고 하며 이에 대한 치료는 이 장의 범위를 벗어난다.

따라서 VA ECMO를 시행하고 있는 환자에서는 인공호흡기의 설정을 VV ECMO와 같이 "휴식설정"으로 하면 심근저산소증에 빠질 위험이 있다. 그러므로 VA ECMO에서는 VV ECMO와 달리 폐를 통해 적절한 가스교환이 이뤄지도록 인공호흡기 설정을 조정해야 한다. 즉 VA ECMO환자에서는 FiO_2와 PEEP을 조금 더 높게 설정할 필요가 있다. 동맥혈가스 감시를 위한 가장 정확한 채혈부위는 동맥 ECMO캐뉼라의 위치에 따라 다르다(Peripheral VA ECMO vs. Central VA ECMO). 대부분의 경우 동맥캐뉼라는 대퇴동맥과 하행대동맥에 설치된다(Peripheral VA ECMO인 경우). 관상동맥골궁(coronary ostia)을 지나 대동맥궁에서 첫 번째로 분지되는 혈관은 우측팔머리동맥(right brachiocephalic artery)이다. 우측요골동맥(right radial arterial line)의 ABGA샘플은 환자의 심장자체로부터의 산소공급을 가장 정확하게 측정한다. 중추쇄골하동맥(central subclavian artery)에 캐뉼라를 삽입한 경우, 국소적인 산소공급의 격차(예, differential hypoxia 또는 Harlequine syndrome)가 훨씬 적다. 일반적으로 동맥선(arterial line)은 쇄골하동맥(subclavian artery)캐뉼라의 반대쪽에 있는 요골동맥(radial artery)에 설치한다.

09

새벽 2시

2 A.M.

"네 어머님 말씀은 틀림이 없어!" 새벽 2시 이후에 좋은 일이 있을 턱이 없지. 특히 ICU에서는…. 한밤 중 중환자실로부터의 전화를 받으면 좋은 소식이란 거의 없다.

이번 장에는 최선의 노력에도 불구하고 호전되지 않거나 오히려 악화되는 기계환기환자에 대한 단계별 접근방법을 정리해보았다. 환자의 상태가 갑자기 변했을 때 당신이 우선적으로 확인해야 되는 것(첫 번째로 할 일)부터 시작한다. 이 중 일부는 "The Ventilator Book(한글판)"에서도 설명되어 있으니 다시 읽어봐도 손해볼 일은 없다. 또한 중증ARDS 환자에서 인공호흡기 치료단계를 높이기 위한 단계별 알고리즘과 급성폐손상 및 폐쇄성폐질환 환자의 인공호흡기 초기설정에 대한 지침도 설명했다. 이번 장의 제목(**새벽 2시**)과 관계없이 다음의 내용은 온 종일, 또 언제든지 유용하다.

첫 번째로 할 일(First Things)

중환자가 더 악화되면 초기평가는 ABC로 돌아가야 한다. 이것은 Advanced Cardiac Life Support 및 Advanced Trauma Life Support 과정에서 반복적으로 훈련되며 그럴만한 이유가 있다. 기계환기 환자의 경우 **Tube, Sounds, Sats**를 생각해보자. 우선 기관내관(endotracheal tube)이 제자리에 있고 막혀있지 않은지 확인하라. 파형호기말이산화탄소분압측정법(capnography, $ETCO_2$)은 이 문제를 확인하는데 매우 유용하다. 흉부청진으로 양측폐에 공기가 잘 들어오는지 확인하고 악화 원인을 시사하는 천명음이나 수포음이 있는지도 확인한다. 또한 환자가 적절하게 산소화되고 있는지 확인한다. 저산소혈증은 기계환기의 문제, 호흡기계의 문제, 심혈관계의 문제 또는 이들의 조합으로 인한 것일 수 있다.

악화되는 기계환기환자를 평가하는데 유용한 또 다른 mnemonic은 **DOPES***이다.

* http://wikem.org/wiki/deterioration_after_intubation

- Displacement of the endotracheal tube: 기관내관(endotracheal tube)의 위치변경 - 기관내관이 아직 기관(trachea) 안에 있는지 확인하기 위해 파형호기말이산화탄소분압측정법(capnography)을 확인한다. 주기관지삽관(mainstem intubation) 또한 기계환기 환자를 악화시킬 수 있다. 이 경우 기관내관은 보통 우측주기관지(rtmainstembronchus)에서 원위부로 이동하므로 좌, 우 양측의 폐음이 다르면 기관내관을 몇 센티미터 위쪽으로 잡아당기고 좌,우 폐음이 같아지는지를 확인한다.
- Obstruction of the endotracheal tube: 기관내관의 폐쇄 - 이것 역시, 파형호기말이산화탄소분압측정법(capnography)이 도움이 될 수 있다. 또한 흡인카테터(suction catheter)가 잘 통과하지 못하는 것이 또 다른 단서이다. 기관내관이 꼬이지 않았는지도 확인한다. 분비물에 의한 기관내관 폐쇄는 때때로 기관지내시경 또는 CAM Rescue Cath ™ (www.omneotech.com) 로 제거할 수 있다. 조금이라도 의심스러우면 후두경으로 살펴보고 기관내관을 새 것으로 교환, 재삽관(reintubation) 한다.
- Pneumothorax: 기흉 - 보통 흉부X선 소견이 도움이 되나 즉시 촬영하기 어려울 수 있다. 침대 옆에서 시행한 초음파에서 흉막슬라이딩이 보이지 않을 수 있다(lack of pleural sliding). 긴장성기흉(저혈압, 저산소혈증, 무호흡음 등을 동반한)이 우려되는 경우 응급감압(emergent decompression)을 강력하게 고려해야 한다.
- Equipment malfunction: 장비 오작동 - 장비 오작동이 아님을 확인하는 가장 좋은 방법은 환자에게서 인공호흡기를 분리하

고 자가팽창백(Ambu-bag)을 부착한 후 수동으로 환기를 시행하면서 원인을 찾는다.

- Stacked breaths: 호흡치쌓기 – 호흡치쌓기는 거의 대부분 중증폐쇄성폐질환에서 발생한다. Auto-PEEP이 진행하면 저혈압 또는 맥박이 없어지는 상태가 될 수도 있다. Auto-PEEP의 단서로는 손으로 앰부백을 짜서 환자를 인공호흡시키기가 매우 어려우며 또 양측 폐에서 호흡음이 현저하게 감소되는 것이다. 치료방법은 환자로부터 인공호흡기나 앰부백을 분리하는 것이다. 이 때 기관내관으로부터 공기가 빠르게 빠져나오고 혈류역학적인 상태가 회복되면 auto-PEEP을 원인으로 추정할 수 있다. 상태가 안정되면 환자를 인공호흡기에 다시 연결하고 호흡수를 더 낮게 설정하며 숨을 내쉴 수 있는 충분한 호기시간을 설정했는지 확인한다.

인공호흡기 초기설정(Initial Ventilator Setup)

인공호흡기 초기설정에 대한 일반적인 지침은 급성폐손상(패혈증, 외상, ARDS, 폐부종 등)과 폐쇄성폐질환(천식, COPD)으로 구분된다. 각각의 환자들에 대한 특정한 기계환기치료는 개별화되어야 하며 일반적인 원칙은 다른 곳에서 더 자세히 설명된다. 이 진료지침의 목적은 ICU 또는 응급실에 설치된 인공호흡기를 대부분의 환자에게 적용할 수 있도록 빠른 참고를 목적으로 제공하는 것이다.

새벽 2시

급성폐손상(ARDS, 폐혈증, 외상, 폐렴증, 폐부종 등)에서 인공호흡기 설정

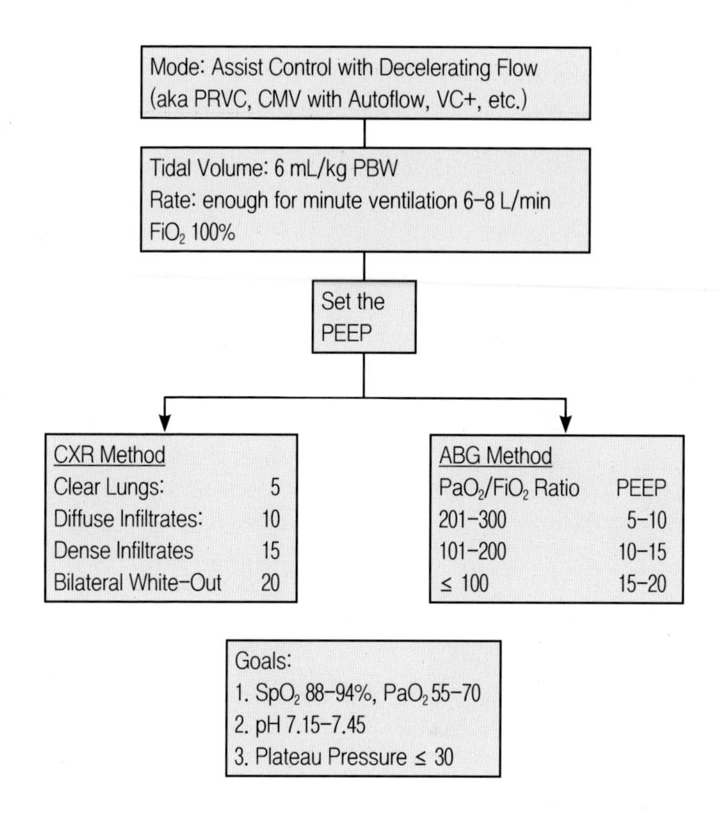

폐쇄성폐질환(천식지속상태, COPD, 기관지연축)에서 인공호흡기 설정

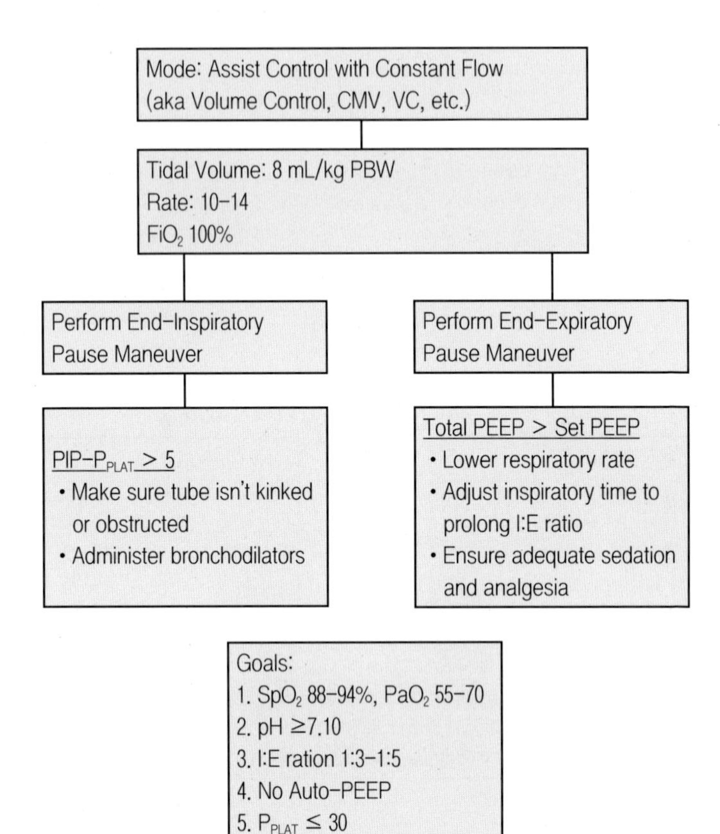

Goals:
1. SpO_2 88–94%, PaO_2 55–70
2. pH ≥7.10
3. I:E ration 1:3–1:5
4. No Auto-PEEP
5. $P_{PLAT} \leq 30$

Consider Heliox, ketamine infusion, and therapeutic bronchoscopy if patient remains unstable

새벽 2시

ARDS 치료단계 높이기(Escalating Therapy for ARDS)

당신이 지금 새벽 2시에 중증ARDS환자를 보고 있다고 가정하자. 이 때 당신이 알아야 할 3가지 문제가 있다. 1) 시작지점의 환자 상태, 2) 추구해야 할 목표, 그리고 3) 만일 시행한 치료의 효과가 없을 때 해야할 일이다.

근거중심에 기초한 우선적인 권장사항은 ARDSNet에서 추천하는 폐보호전략으로부터 시작하는 것이다. 이는 저일회호흡량(4-6 mL/kg, PBW)을 적용하고 손상으로 취약해져서 허탈에 빠지기 쉬운 폐단위를 개통(OPEN)시키고 안정화(KEEP IT OPEN)하는데 충분한 PEEP을 적용하는 것을 의미한다. 급성폐손상에 대해서 이 장의 앞부분에 나열된 지침을 따르는 것이 기계환기의 초기설정에 적합하며 다음에 나열된 목표를 달성하기 위해서 필요에 따라 조정해야 한다. 이러한 목표에는 1) 적절한 산소공급, 2) 적절한(완벽할 필요는 없지만) 정도의 환기, 3) 폐포압(인공호흡기에 고원압으로 표시됨)을 30 cm H_2O 미만으로 유지하는 것이 포함된다. 고원압이 30 cm H_2O를 초과하면 일회호흡량을 5 mL/kg PBW로 심지어 4 mL/kg PBW까지 낮춰도 된다. 필요하면 호흡수를 늘릴 수 있지만, 대부분의 환경에서 고탄산혈증은 매우 위험하지는 않다. PEEP의 조정은 PEEP-FiO_2계산표, 압력-체적곡선, 식도압모니터링 또는 책의 앞 장(제4장)에 설명된 다른 방법을 사용하여 시행할 수 있다.

만일 ARDSNet에서 추천하는 폐보호전략으로 치료했는데도 효과가 없는 경우 치료단계를 높여야 할 수 있다. 그러나 우선 "효과없음"을 정의해야 한다. 대부분의 경우 ARDSNet 기계환기치료전략은 적절한 산소공급과 폐보호를 유지하는데 충분하다. 여기에서 설명하는 구조요법은 엄격한 기준에서 볼 때 근거중심의학의 추천사항은 아니며 중등도에서 중증의 호흡부전환자에서만 고려되어야 한다. 많은 임상연구에서 PaO_2/FiO_2비율이 150 이하인 환자를 대상으로 하는데 이는 합리적이라고 생각한다. 이 알고리즘의 목적에 따라 "효과없음"은 나열된 기계환기모드 등을 적용하여 '최적의 치료 시행했음에도 불구하고 PaO_2/FiO_2 비율 ≤ 150인 상태'로 정의된다. 예를 들어, 저일회호흡량과 15-20 cm H_2O의 PEEP를 적용했는데도 불구하고 PaO_2/FiO_2 비율이 ≤ 150이면 ARDSNet 기계환지치료전략에서는 이 환자의 상태를 "효과없음"으로 판단한다. 그렇다고 해서 이런 경우 당신이 꼭 다른 방법을 시도해야 한다는 의미는 아니다. 환자에게 필요한 최소의 산소를 공급할 수 없거나 폐 또는 혈류역학에 미치는 부작용을 감당할 수 없을 정도로 기계환기 설정이 필요한 경우에만 기계환기모드나 환기보조가 실패했다고 판단한다. '진성불응성 저산소호흡부전(true refractory hypoxemic respiratory failure)은 최적의 치료에도 불구하고 PaO_2/FiO_2비율이 <55인 경우'로 가장 잘 정의된다.

ARDS Escalation Algorithm

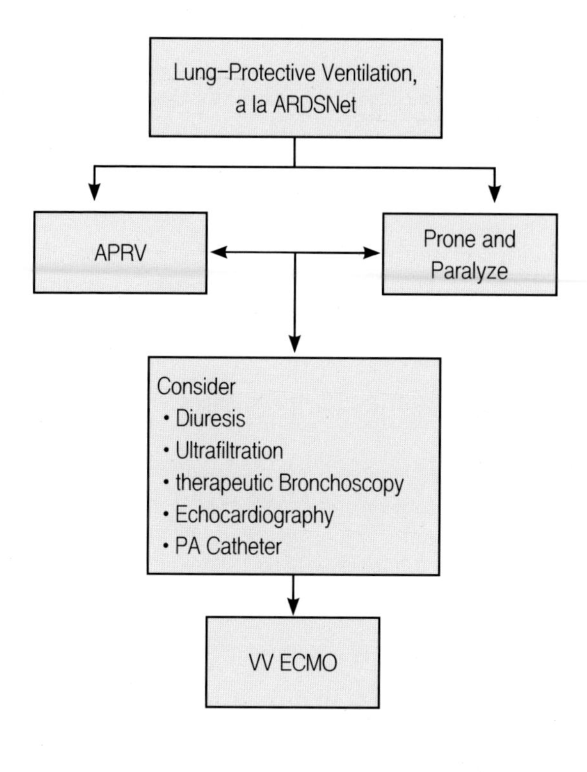

for truly refractory hypoxemia
salvage therapy only

기도압방출환기(Airway Pressure Release Ventilation, APRV)*

ARDS 환자에서 기계환기를 시행할 때 내가 선호하는 구조모드(rescue therapy)는 APRV이다. APRV는 평균기도압을 높이지만 폐포에 지나치게 높은 팽창압을 부과하지 않는 방식으로 작동한다. 흡기압(PHIGH)까지 기도압을 올린 후 3초, 4초 또는 그 이상 유지함으로써 이를 수행한다. 기도압을 짧게(일반적으로 1초 미만) 방출하면 환자의 폐에 있는 가스가 빠져나가면서 CO_2를 배출하고 다음 번 호흡의 흡기과정에서 PHIGH까지 폐가 빠르게 재확장된다.

APRV는 미만성, 양측성 폐손상에서 매우 효과적이다. 그러나 한쪽 폐가 다른쪽 폐보다 훨씬 더 나쁠 때는 효과가 좋지 못하며, 공기걸림(air trapping)이 발생하는 중증폐쇄성폐질환환자에서도 효과가 좋지 않다. 또한 팽창하는 기도압이 정맥환류 또는 폐혈류에 영향을 미치므로 혈류역학적으로 불안정한 환자는 APRV에 잘 적응하지 못할 수도 있다. 그러나 ARDS환자는 대부분 APRV에서 잘 견디며 또한 APRV는 자발환기를 허용하고 고용량의 진정제 및 신경근차단제등이 필요하지 않다는 것이 추가적인 장점이다.

* 내 스스로 이런 말하기는 좀 그렇지만 "The Ventilator Book(한글판, 2021, 제14장)"에서 APRV에 대한 매우 좋은 설명을 읽어볼 수 있다.

APRV Setup flowchart

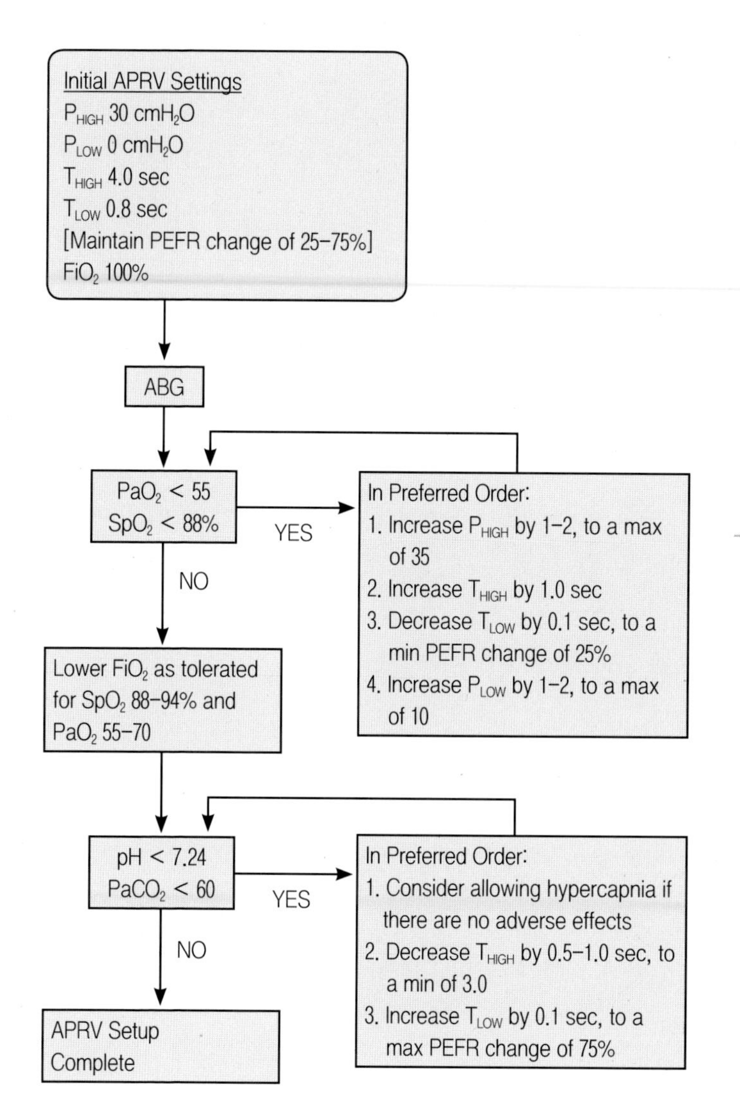

복와위자세와 근신경차단제(Prone and Paralyze)

중증ARDS 환자에서 APRV를 적용하는데 금기사항이 있거나 APRV를 잘 견디지 못하는 경우, 복와위자세를 추천할 충분한 근거는 있다고 생각한다(일반적으로 신경근차단제와 함께). 성공적인 복와위자세는 의료진의 훈련도와 욕창 및 생명유지장치의 이탈과 같은 합병증이 생기지 않도록 세심하게 관리하는 것에 크게 좌우된다. 또한 환자를 회전시킬 때마다 체크리스트를 사용하는 것을 강력히 추천한다. 그리고 정기적인 중환자실 의료진의 교육도 필요하다. 인공호흡기는 폐보호전략 개념아래 ARDSNet의 추천대로 설정해야 하며 가스교환에 대한 동일한 목표가 적용된다.

신경근차단제를 사용해야 하는 경우, 이 책의 제6장에 설명된 이유 때문에 가장 선호하는 약제는 시사트라쿠리움(cisatracurium)이다. 약물의 축적과 장기간 신경근차단제의 사용을 피하기 위해 신경근차단제를 매일 중단(daily interruption)해보는 것이 좋다.

복와위자세를 16시간 동안 유지한 뒤 환자를 회전하여 8시간 동안 앙와위자세를 취하게 한다. 복와위자세와 신경근차단제 모두 환자가 회복징후를 보이기 시작할 때까지는 계속 진행해야 한다. 대부분의 경우 회복징후는 앙와위자세에서 신경근차단제를 중단한 후 PaO_2/FiO_2 비율 >150인 상태를 의미한다.

병행해야 하는 치료들(Concurrent Therapy)

대부분의 ARDS치료는 호흡보조에 중점을 두지만 용적과부하(volume overload), 과도한 폐분비물, 심장기능장애 등도 심각한 호흡부전의 원인이 될 수 있음을 인식하는 것이 중요하다. 최적의 기계환기보조를 시행하는 것 외에도 다음 사항을 고려해야 한다.

- 환자의 "건조체중(dry weight)"이 105%정도에 도달하는 것을 목표로 하여 이뇨제 또는 초미세여과(ultrafiltration)를 시행한다. 특히 기계환기 환자에서 용적과부하(volume overload)는 지속적인 저산소혈증의 흔한 원인이된다.
- 치료기관지내시경을 시행하여 기관지 분비물을 제거해 볼 수 있다. 또한 기관지내시경은 호흡부전의 주원인이 감염이나 또는 폐포출혈일 경우 진단적인 역할도 할 수 있다.
- 심기능장애를 확인하고 치료를 하기 위해 심초음파 또는 폐동맥카테터를 시행한다.

Veno-Venous ECMO

VV ECMO는 호흡부전에 대한 궁극적인 구조전략이며, 호흡과정에서 폐의 역할을 근본적으로 배제하여 손상 받은 폐가 휴식을 취하고 회복할 수 있도록 돕는 것이다. VV ECMO의 적응증은 이 책의 제8장에 요약되어 있다. 그러나 VV ECMO는 매우 실

질적인 위험을 동반한다. 캐뉼러는 매우 크고 ECMO회로에 필요한 항응고제는 종종 심각한 출혈과 잦은 수혈이 필요할 수 있다. 또한 자원집중적(resourse-intensive)이며 ECMO센터에서만 수행할 수 있다. 그럼에도 불구하고 VV ECMO는 중증호흡부전이 있는 성인을 보조하는 방법으로 점점 더 대중적인 방법이 되고 있다. 환자의 경과가 ECMO를 시행해야 하는 방향으로 가고 있는데 환자가 ECMO센터에 있지 못한 경우에는 가능하면 조기에 ECMO센터로 환자의 이송을 준비해야한다.

기타 구조요법(Other Rescue Therapies)

ARDS환자에서 의학문헌의 근거가 없는 최소한 성인에서의 두 가지 구조요법은 흡입산화질소(iNO)와 고주파진동환기(HFOV)이다. 그렇다고 해서 이 두 가지 구조법이 가치가 없다는 것은 아니지만 발표된 임상연구결과를 기반으로 할 때 일반치료 알고리즘에 포함시켜서는 안된다.

이 책의 앞 부분(제7장)에서 논의한 바와 같이 iNO는 급성우심실부전의 치료에 도움이 될 수 있다. 그러나 ARDS환자에서 iNO투여의 생존유익이 확인되지 못했으며 일부 연구에서는 오히려 iNO에 의한 부작용이 증가하는 것으로 나타났다. 따라서 iNO투여는 급성우심실부전과 폐동맥고혈압이 확인된 환자 또는 진성불응성저산소혈증(PaO_2/FiO_2 <55)이 있는 ARDS환자에서 다른 구조요법이 실패했거나 다른 방법이 없는 환자로 제한되

어야 한다.

HFOV도 한때 자주 사용되는 구조요법이었다. 이 환기법의 효과를 검증하기 위해 2013년에 발표된 OSCILLATE연구는 중등도에서 중증ARDS 환자의 초기치료에 HFOV적용의 효과를 확인하기 위해 진행된 다기관 임상연구였다.[37] 연구결과에 의하면 HFOV이 유익하다는 증거는 없고 오히려 병원 내 사망률이 증가하는 경향을 발견했다. ARDS 환자에서 HFOV의 효과를 확인한 또 다른 다기관 임상연구인 OSCAR연구에서도 이와 유사한 결과가 확인되었으며[38] 결론적으로 OSCILLATE연구결과는 검증되었다. 이런 이유로 HFOV는 큰 기관지흉막누공과 같은 특별한 필요가 있는 환자 또는 진성불응성저산소혈증(PaO_2/FiO_2 <55)이 있는 ARDS 환자에서 다른 구조요법이 실패했거나 다른 방법이 없는 환자로 제한되어야 한다.

HFOV Setup Flowchart

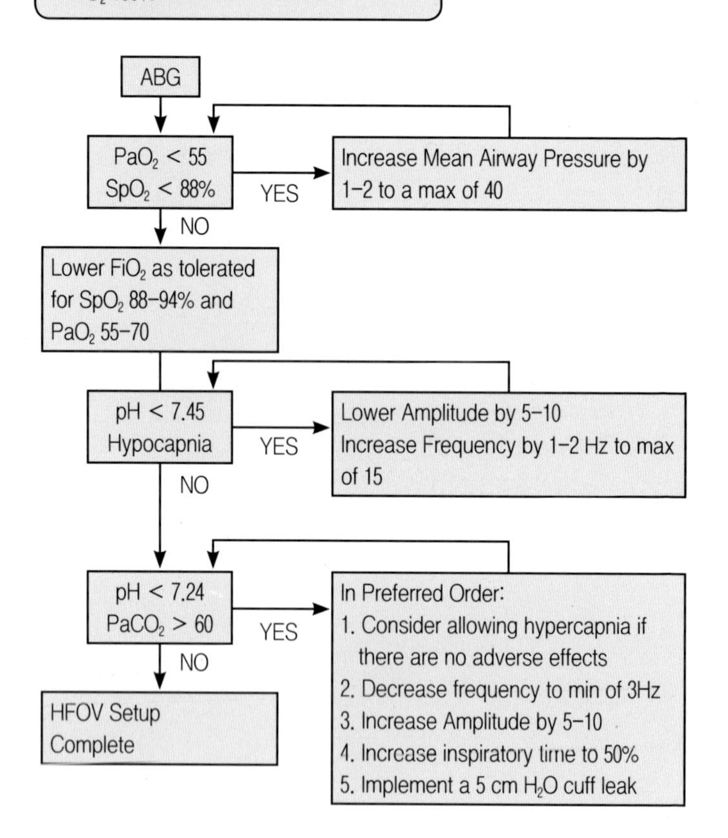

10

대유행 또는 다수사상자 발생 시 기계환기

Mechanical Ventilation during a Pandemic Or Mass Casualty Event

이 글을 쓰는 지금 전 세계는 COVID-19이라고도 알려진 SARS-CoV-2로 고통받고 있다. 이 코로나바이러스의 확산은 많은 수의 중증환자를 치료하는 우리나라(미국)의 의료체계(healthcare system)의 약점을 드러냈다. COVID-19에 감염된 많은 환자들이 ARDS로 진행되므로 기계환기치료가 필요하다. VV ECMO가 매력적이기는 하지만, 대규모로 적용하기에는 실용적이지 못한 매우 자원-집약적(resource-intensive)인 치료법이다. 따라서 최첨단 치료법의 사용가능 여부를 떠나서 중환자전문의나 다른 의사들이 많은 환자를 인공호흡기로 치료하고 있다.

이 같은 대유행 중에 우리는 "완벽함은 좋음의 적이다(Perfect is the enemy of the good. by Voltaire)"이라는 너무나 자명한 이치(truism)을 상기해야 한다. 우리의 목표는 가능한 한 많은 생명을 구하는데 초점을 맞춰야 하며 따라서 우리가 하고 있는 인공호흡기를 모두 완벽하게 설정할 수 있는 여유가 없다. 내가 이 장을 쓰고 있는 지금 이 순간 많은 급성호흡부전환자들이 중환자의학에 제한적인 경험밖에 없는 의사들에 의해 치료되고 있다. 그들은 자신들의 갖고 있는 경험을 갖고 최선을 다하고 있다. 이 장에서 COVID-19에 감염된 사람들에게 최선의 치료를 제공하는 방법에 대한 나의 추천사항들을 요약하겠지만 이것을 인플루엔자 또는 다른 전염병의 발생 또는 대규모 사상자 발생상황에도 쉽게 적용할 수 있다.

첫 번째 우선 순위는 의료진을 보호하는 것이다(Protect the people providing care). 환자를 돕기 위해 달려가는 것이 고귀하게 보일지 모르지만 전염병의 대유행 시 가장 중요한 자원은 자격을 갖춘 의료종사자의 공급이다. 중환자 치료에 참여하는 누구에게든지 개인보호장비(personal protective equipment, PPE)는 필수적이다. 반드시 마스크, 안면보호대, 가운 및 장갑을 착용해야 한다. 당면한 임무에 전념하고 있는 이들의 건강과 안전을 위태롭게 하는 그 어떠한 것도 허용될 수 없다. 마찬가지로 바이러스필터는 모든 인공호흡기(통상적 및 비 침습적 인공호흡기 모두 포함)에 부착되어야 하며 가능하면 음압병실로 개조해야 한다. 이러한 조치는 의료종사자와 다른 환자에게 바이러스가 전파되는 것을 억제할 수 있다.

두 번째 우선 순위는 중환자치료가 필요한 환자 수가 의료체계의 역량을 시험하는 상황에서는 K.I.S.S. (-Keep it simple, superstar; -단순하게 실행하자!)의 원칙을 유지하는 것이다. 가능한 한 결심지점(decision point)을 많이 제거하자. 80%의 환자들에게 유효한 계획을 추진하자. 그러면 반응하지 않거나 도리어 악화되고 있는 20%를 해결하는데 필요한 시간과 인지능력(cognitive ability)을 아낄 수 있다. 이것의 기초가 되는 개념은 나중에 논의하겠지만 우선 많은 수의 급성호흡부전 환자에서 신속히 적용할 수 있는 계획을 원한다면 다음과 같다.

GOALS
SpO_2 88–95%
P_{PLAT} 25 or lower

Assist-Control
Rate 16, Tidal Volume 6 mL/kg
FiO_2 0.5
PEEP 10

GETS WORSE?

Assist-Control
Rate 16, Tidal Volume 6 mL/kg
FiO_2 0.8
PEEP 15

GETS WORSE?

APRV
P_{HIGH} 30, P_{LOW} 0
T_{HIGH} 5.0 sec, T_{LOW} 0.8 sec
FiO_2 0.8

OR

PRONE POSITIONING

GETS WORSE?

EXPERT EVALUATION
CONSIDER VV ECMO

당신이 만약 이 계획을 따른다면 대부분의 환자는 처음 두 단계에서 치료효과를 보일 것이다. 그렇지 못한 나머지 환자들은 APRV로 전환하거나 복와위자세(prone position)를 활용하여 치료한다. 분명히 말해서 환자들이 적절한 치료를 받기 위해서는 약간의 조정이 필요하겠지만 이와 같은 윤곽이 지금과 같은 위기상황에서 기계환기를 제공하기 위해 수용 가능한 "큰 그림(big picture)"의 계획이 될 것이라고 감히 주장한다. 이를 통해 호흡치료사는 많은 문제를 해결할 수 있고 중환자담당 의료진은 치료반응이 없는 환자들에게 자신의 인지노력(cognitive efforts)을 쏟아 붓는 것으로부터 자유로워질 수 있다.

기본개념(Basic Concepts)

폐보호개념(lung protection) 전부와 인공호흡기관련 폐손상(ventilator associated lung injury, VILI)의 병태생리를 다시 반복하는 대신에 몇 가지 핵심적인 개념만 살펴보겠다. 이것이 환자 치료의 지침이 되며 인공호흡기 프로토콜을 간소화하는데 도움이 된다.

- 대부분의 환자에게는 4-8 mL/kg(예상체중, PBW)의 일회호흡량이 바람직하다. 이것은 정상인의 안정 시 일회호흡량인 5-6 mL/kg PBW와 비슷하다.
- 폐포신전(alveolar stretch)과 폐포손상의 가능성은 0.5-1.0

초간 유지되는 최종흡기압과 가장 밀접하게 연관되어 있다. 이를 평탄압(plateau pressure, PPLAT)이라고도 한다. 30 cm H_2O보다 높은 PPLAT는 폐손상 위험의 증가와 관련이 있으며 일부 연구에서는 PPLAT를 25 cm H_2O 이하로 유지해야 한다고 추천했다.

- 산소는 생명유지에 반드시 필요하며 중환자에서 FiO_2를 높여야 할 필요가 종종 있다. 그러나 즉, SaO_2 또는 PaO_2를 "정상화"하는 것에 대한 이점은 있다고 해도 거의 없다. SaO_2 88-95%에 해당하는 즉 PaO_2 55-80 mmHg이면 충분하다.
- 관련된 연구에서 100% 산소를 호흡하면 흡수무기폐(absorption atelectasis)가 발생하여 단락(shunt; 관류는 되지만 환기되지 않는 폐영역)이 악화될 수 있다. 폐포에 질소를 약간 공급하면 폐포의 안정화와 붕괴 방지에 도움이 된다. FiN_2는 최소 0.1이여야하며 가능하면 0.4-0.5가 이상적이다(역자 주: Room air의 FiN_2=0.78). 이는 이상적으로 FiO_2가 0.6보다 높지 않아야 함을 의미한다.
- PEEP은 폐포를 모집(recruit)하여(OPEN) 가스교환에 참여하고 호기말까지 폐포의 개방상태를 유지(KEEP IT OPEN)하는 역할을 한다. PEEP은 폐의 기능잔기용량(functional residual capacity)을 유지하고 산소공급을 개선하는 데 도움이 된다.
- ARDS 환자의 폐를 설명하기 위해 "강직폐(stiff lung)"이라는 단어가 사용되지만, 실제로 이것이 문제는 아니다. 문제

는 최소한 사용할 수 있는 부분의 폐가 작다(baby lung)는 것이다. 폐의 일부는 정상이며 일부는 손상되어 있다. 목표는 정상적인 부분의 폐를 사용하여 환자를 보조하고 과도한 팽창압이나 일회호흡량에 의한 추가 손상을 방지하는 것이다.

- 너무 많은 양의 일회호흡량은 한 번의 호흡만으로도 폐손상이 유발될 수 있으므로, 호흡수가 많을수록 폐손상의 가능성이 높아진다. 호흡수를 낮게 유지하면 기계환기가 환자의 폐에 가하는 전반적인 충격을 줄일 수 있다. 일반적으로 환자들은 호흡산증에 잘 견딘다.

인공호흡기 초기 설정(Initial Ventilator Settings)

대유행 또는 다수사상자 발생 상황에서 인공호흡기 초기 설정을 표준화하면 각각의 환자에 대해 개별화된 치료계획을 제시하는 중환자전문의에게 의존할 필요없이 많은 환자에게 적절한 치료를 제공할 수 있기 때문에 도움이 된다. 어쨌든 숨겨진 진실은 이와 같은 일이 대부분의 경우 우리가 이미 하고 있는 일이라는 것이다. 이 경우 주요한 문제는 저산소혈증이고 근본적인 폐의 병리는 급성폐포손상(예: ARDS) 중 하나라고 가정한다.

모드: **용적보조제어(Volume Assist-Control), 가능하면 감속기류(decelerating flow)로**

[압력보조제어(pressure assist-control)가 ARDS에 더 나은 선택이 될 수 있다는 근거가 늘어나고 있지만 용적보조제어가 가장 일반적으로 사용되는 모드이며 의사들이 쉽게 시행할 수 있는 방법을 적용하는 것이 적어도 기계환기를 처음 시작할 때는 좋다. 감속기류는 대부분의 인공호흡기에서 사용할 수 있으며 조합은 PRVC, VC+, CMV with Autoflow, APVcmv 등의 다른 상표명으로 알려져 있다.]

호흡수: 16 회/분

[이것은 정상범위의 최고 수준인 약 100 mL/kg/분의 분당환기량을 제공해야 한다. 우리는 과탄산증에 대해 별로 걱정하지 않는다는 것을 기억하라.]

일회호흡량: 6 mL/kg PBW

[이는 일반적으로 받아들여지고 있는 폐보호환기(lung-protective ventilation)의 시작점이다.]

FiO_2: 50% 또는 0.5

[왜 100%가 아닌가? 우선, 대부분의 환자는 그렇게 높은 산소가 필요하지 않다. 50%로 시작하면 FiO_2를 조정해야 할 횟수를 줄일 수 있다. 또한 FiO_2 50%에서는 폐포를 개방상태로 유지하기 위해 필요한 적절한 폐포질소를 공급할 수 있다.]

PEEP: 10 cm H_2O; 그러나 BMI> 50 인 경우 15 cm H_2O

[PEEP은 폐포를 열고 또 열린 상태를 유지하므로 가스 교환 및 기능잔기용량(functional residual capacity)을 좋게 한다. 흉부엑스선 사진에 흰색 음영이 많을수록 더 높은 PEEP이 필요하다. 또한 비만환자(BMI> 50)에서는 흉벽에 의해 증가된 제한장애에 대응하기 위해 더 높은 PEEP이 필요하다.

이러한 설정은 대부분의 환자에게 적용된다. 최소한 기계환기를 시작하는 시점에서는... 물론 약간의 조정이 필요할 수 있다. 다음과 같은 지침을 따르면 된다.

- 4시간마다 P_{PLAT}을 확인하라. P_{PLAT}를 25 cm H_2O 이하로 유지하기 위해 필요에 따라 일회호흡량을 낮춘다. 정상적인 폐포의 과다팽창(overdistension)과 손상을 방지하는 것이 목적이다.
- 동시에 호기말압(end-expiratory pressure)도 측정한다. 측정된 PEEP이 설정된 PEEP을 2 cm H_2O 이상 초과하면 "autoPEEP"이 존재하는 것이다. 환자가 숨을 내쉴 수 있는 호기시간이 충분하지 않은 경우 폐포가 과도하게 팽창된다. 호흡수를 분당 10회 또는 12회로 낮추어 호기가스가 빠져나가는 데 더 많은 시간을 설정한다.
- SpO_2를 88-95%로 유지하라. 이 정도면 생명을 유지하기에 충분히 높다. 맥박산소측정기가 신뢰할만하다고 생각

되면 총산소전달(total oxygen delivery)측면에서도 SpO_2 (SaO_2의 대리)가 훨씬 더 중요하므로 PaO_2를 측정하기 위해 ABG를 자주 할 필요가 없다.*

- 필요에 따라 중탄산나트륨을 투여하여 pH를 7.15 이상으로 유지한다. 그 외에 환자에게 두개내압항진이나 심한 폐동맥고혈압 등의 문제가 없는 한 고탄산호흡산증(hypercapnic respiratory acidosis)에 대한 걱정할 필요는 없다. 대부분의 환자는 호흡산증을 아주 잘 견딘다. 이렇게 하면 인공호흡기 조정(및 호흡치료사의 노력)의 필요성이 최소화된다. 또한 폐손상을 예방할 수 있다. 인공호흡기가 일회호흡량을 공급할 때마다 폐손상의 가능성이 있으므로 호흡수를 낮추는 것은 도움이 된다.
- 필요에 따라 문제를 해결하되 인공호흡기는 보조수단(means of support)에 불과하며 환자의 원인질환이 더 빨리 좋아지게 하는 데에는 어떤 역할도 할 수 없다는 것을 마음에 새기고 있어야 한다. 당신의 목표는 환자가 살아있도록 하고 환자가 원인질환에서 회복될 때까지 유해한 인공호흡기 설정으로 환자를 악화시키지 않는 것이다.

* DO_2 = Cardiac Output × Hemoglobin × SaO_2 × 13.4 + [PaO_2 × 0.003]. 이 공식에서 알 수 있듯이 전달되는 산소의 대부분은 헤모글로빈에 결합되어 있으므로 포화도(SaO_2)는 용존산소압(PaO_2)보다 훨씬 더 큰 요소이다. PaO_2의 기여도는 너무 적어서 계산을 쉽게 하기 위해 계산식에서 생략하는 경우가 많다. 따라서 맥박산소측정기가 적절히 설치되고 작동하여 SpO_2가 SaO_2를 잘 반영하면 불필요하게 ABG를 자주 시행할 필요가 없어진다.

환자가 악화될 때(When the Patient Gets Worse)

많은 환자들에서 PEEP 10 cm H_2O와 FiO_2 0.4-0.6을 설정하더라도 저산소 상태를 벗어나지 못할 수 있다. 만약 SpO_2가 88% 미만인 상태가 지속되면 인공호흡기 보조를 점차 확대해야 한다. 먼저 가장 쉬운 방법은 PEEP과 FiO_2를 높이는 것이다. PEEP을 15 cm H_2O로, FiO_2를 0.8로 높이면 많은 환자에서 도움이 된다. 특별히 중환자실 의료진이 SpO_2가 87-88% 정도라도 괜찮다는 사실을 이해한다면 말이다. 필요에 따라 PEEP을 20 cm H_2O로 올릴 수 있지만 주의하기 바란다. 이 정도 수준의 PEEP은 혈류역학적인 장애를 초래할 수 있으며 또한 폐포가 과도하게 팽창되면 가스교환에도 악영향을 미칠 수 있다. 15 cm H_2O 보다 높은 PEEP에서 호전되는 소견을 보이면 적절한 일회호흡량을 유지하기 위해 P_{PLAT}를(25 대신) 30 cm H_2O 이하로 높게 허용해야 한다.

기도압방출환기(Airway Pressure Release Ventilation, APRV)

통상적인 기계환기로도 환자의 상태가 회복되지 않는 경우 다음 단계로 합리적인 환기법은 기도압력방출환기(airway pressure release ventilation, APRV)이다. 대부분의 최신 인공호흡기에는 APRV 모드가(Bi-Vent 또는 Bi-Level이라는 이름으로 불려서 마치 다른 모드인 것처럼 보인다) 있다. 일반적으로 APRV는 4-6초 동안 장시간 팽창압(inflation pressure)을 유지한 후 신속히 호흡기회로의 압력을 떨어드리는 방법으로 작동한다. 감압(depressurization)을 통해 폐포에서 CO_2를 제거할 수 있으며 감압시간은 0.5-1.0초로 짧다. APRV이란 용어가 혼란스러울 수 있지만 그 개념은 비교적 간단하다.

- PHIGH: 대부분의 시간동안 폐포에 유지되는 압력. CPAP이라 생각하면 된다. 이때 기도압은 일반적으로 25-30 cm H_2O이다.
- THIGH: 환자가 PHIGH에서 보내는 시간.
- PLOW: 인공호흡기가 "감압"하는 압력이다. 호기류(expiratory flow)를 최대한 허용하기 위해 일반적으로 0으로 설정할 수 있지만 심한 저산소혈증이 있는 경우 5-10 cm H_2O까지 높일 수 있다.
- TLOW: 호흡회로의 압력이 감압 또는 해제되는 시간. 이것은 0.5-1.0초로 짧기 때문에 모집(recruit)된 폐포가 허탈(collapse)되지 않는다. 이 정도의 시간은 CO_2를 배출하기에는 충분히 짧지만 그 이상의 시간은 필요하지는 않다. TLOW는 일반적으로 최대호기류(peek expiratory flow)의 약 50% 정도가 감소할 정도로 조정한다. 이보다 짧은 시간이면 이산화탄소 배출에 장애가 올 수 있다. 또한 이것보다 긴 시간을 설정하면(특히 기류가 0이나 0에 가까워질 정도면) 폐포재허탈(alveolar derecruitment)이 발생한다.

APRV에서 산소화를 개선하는 방법:

- PHIGH를 최대 35 cm H_2O까지 높인다.

- FiO_2 높인다.
- THIGH를 늘리면 평균기도압이 증가한다.
- PLOW를 최대 10 cm H_2O까지 높인다(이렇게 하면 $PaCO_2$는 높아지지만 산소화가 더 중요하므로).

APRV에서 환기(CO_2 배출)를 개선하는 방법 :

- PHIGH를 높인다. PHIGH와 PLOW 사이의 차이가 클수록 더 많은 호기가스가 방출된다.
- THIGH를 줄인다. 이것은 방출(release)의 빈도를 증가시킨다.
- TLOW를 늘린다. 이렇게 하면 더 많은 호기가스가 방출되지만 폐포재허탈(alveolar derecruitment)의 위험이 있다.

APRV의 일차적인 장점은 매우 높은 팽창압을 가하지 않고도 평균기도압력과 산소공급을 증가시킬 수 있다는 것이다. APRV에서 4 - 6 초 동안 기도압을 유지하는 것이 더 짧은 시간 안에 폐를 팽창시키기 위해 가하는 부담(통상적인 기계환기법에서 하는 것과 같은)없이 더 많은 폐포를 모집(recruit)할 수 있다.

복와위자세(Prone position)

복와위자세(prone position) 환자는 ARDS 치료의 중심이며 많은 장점이 있다. 복와위자세는 폐의 국소적인 과다팽창을 방지하여 폐를 “균질화”하는 데 도움이 된다. 또한 분비물 제거에도 도움이 되며 흉부에 가해지는 복부장기 무게의 부담을 줄여 준다.

또한 복와위자세는 생리적으로도 부담이 없다. APRV와 달리 호흡일의 증가, 에너지소모량의 증가 또는 폐에 추가적인 스트레스나 긴장을 유발하지 않는다. 그런데 우리는 왜 모든 환자들에서 복와위자세를 하고 있지 않는가? 주된 이유는 중환자실 의료진의 잠재적인 노출 위험과 관련이 있다. 하루에 두 번 안전하게 복와위자세를 시행하기 위해서는 4-6명의 간호인력이 필요하다. 복와위자세는 가용 간호인력이 있어야 하며 개인보호장구(personal protective equipment, PPE)를 착용하더라도 병원균(COVID-19)의 감염위험은 항상 존재한다. 따라서 APRV가 실패하거나 적용할 수 없는 경우에만 복와위자세의 시행을 고려해야 한다.

복와위자세를 취한 다음 16-18시간 이 자세를 유지한 후 다시 앙와위로 복귀한다. 신경근차단제 및 고용량의 진정제를 투여하면 기관삽관튜브나 여러 연결선이 빠지는 것을 방지할 수 있지만 필수적인 것은 아니다. 앙와위에서 PaO_2/FiO_2 비율이 150이상 될 때까지는 복와위자세환기를 계속해야 한다.

잘 쓰이지 않는 치료방법(Therapies That Are Less Preferred)

단순히 저산소혈증 때문에 흡입산화질소(inhaled NO)를 사용해서는 안 된다. ARDS에서 흡입산화질소(inhaled NO)에 대한 긍정적인 연구결과가 없기 때문이다. 그러나 만약 우심실기능의 중증장애나 심인성쇼크(cardiogenic shock)가 있는 경우에는 흡입산화질소가 유용할 수 있다.

고빈도진동환기(High frequency oscillatory ventilation, HFOV)를 사용할 수 있지만 여러 가지 이유로 잘 사용되지 않는다.

- HFOV의 가용성이 제한된다.
- HFOV 적용 시 환자에서 발생한 문제를 알려주는 경보가 없으므로 그렇지 않아도 환자감시에 어려움이 있는데 호흡기 격리상황에서는 환자감시가 더욱 어렵다.
- APRV는 HFOV가 작용하는 것과 비슷하게 평균기도압을 높여서 산소화(oxygenation)를 호전시킨다. 그럼에도 APRV는 사용하기 편리하고 HFOV를 시행할 때와 같이 특별한 장비(미국에서는 Sensormedics 3100B 밖에 없다)가 필요하지 않다.
- 임상시험에서 중증도와 관계없이 ARDS에서 HFOV의 이점을 보여주지 못했다.

다른 것들(Other Things)

중환자들을 돌보는 데 필요한 다른 일들을 잊지 마라. 현재의 중심은 호흡치료(respiratory care)이지만 우리가 환자 전체(patients as a whole)를 치료하고 있는지 확실히 해야 한다.

- 가능한 신속하게 장내 경로(enteral route)를 통해 영양공급을 해야 한다. 상업적으로 구매 가능한 관급식은 약 25 kcal/kg/day를 목표로 하지만 환자가 완전영양(full feeding)을 감당하지 못한다고 해서 스트레스를 받을 필요는 없다. 장으로 무엇이라도 공급해라.
- 이뇨제는 산소화(oxygenation)에 도움이 된다. 환자의 체중을 환자의 평소 체중의 ±5% 이내로 유지하고 한 번에 주입하는(bolus) 과도한 수액공급을 피하자. 혈류역학적으로 불안정한 상태이면 알부민/퓨로세마이드를 병합해서 사용하는 것이 도움이 될 수 있다.†
- DVT의 예방을 위해-에녹사파린을 투여하고 신기능 장애가 있는 경우에는 헤파린을 투여한다.
- 환자의 호흡 및 혈류역학 상태가 호전되면 조기이동(early mobilization)을 시킨다.
- FiO_2가 0.5 또는 그 이하로 떨어지거나, PEEP이 10 cm H_2O 또는 그 이하로 떨어지면, 또 환자가 열이 없으면 기관절개술을 시행한다.

† 25% 알부민 12.5 g을 IV q6h 투여하고 매번 알부민 투여 후 20-40 mg의 IV 퓨로세마이드를 주사, 또는 알부민과 함께 퓨로세마이드를 매 6시간마다 주입할 수 있다.

COVID-19 기계환기 전략‡(COVID-19 MECHANICAL VENTILATION PLAN‡)

이 전략의 목적은 코로나바이러스 감염이 추정되거나 확진된 환자들에게 표준화된 인공호흡기 설정을 제공하는 것이다. 표준화된 계획을 세우면 의료진이 인공호흡기 설정을 조정해야 하는 횟수를 줄일 수 있고 불필요하게 호흡기 분비물에 의해 노출되는 것을 방지하는 데 도움이 된다.

이 계획은 임상적인 결정을 대체하기 위한 것이 아니다. 주치의의 재량에 따라 개별 환자에 대해 기계환기의 모드 또는 설정을 변경할 필요가 있다.

초기 인공호흡기 설정 :

- 모드: PRVC (Pressure Regulated Volume Control)§
- 호흡수: 16/분
- VT: 6 mL/kg
- FiO_2: 0.5
- PEEP: 10 cm H_2O

목표 SpO_2는 88-95%이다. 이 범위보다 높은 SpO_2를 얻기 위해 FiO_2를 높일 이유가 없다.

일상적인 ABG는 필요 없으며 기계환기전략에 중대한 변화가 예상되는 경우에만 시행해야 한다.

목표 pH는 > 7.15이다. 그 외에는 고이산화탄소혈증(hypercapnia)이 허용된다.

최종흡기압을 4시간마다 측정한다. PPLAT가 > 25 cm H_2O이면 PPLAT가 25 cm H_2O가 될 때까지 일회호흡량을 줄인다.

호기말압을 4시간마다 측정한다. 측정된 PEEP이 설정된 PEEP보다 > 2cm H_2O이면 autoPEEP이 발생했을 가능성이 있으므로 인공호흡기 호흡수를 10-12/분으로 낮추고 일회호흡량을 8 mL/kg으로 늘린다.

위와 같은 설정에도 불구하고 저산소혈증(SpO_2 <88%)이 계속되는 경우 PEEP을 15 cm H_2O로, FiO_2를 0.8까지 높여보자.

PEEP이 15 cm H_2O이고 FiO_2가 0.8 임에도 불구하고 저산소혈증(SpO_2 <88%)이 있는 경우 다음과 같은 설정으로 APRV를 시작한다.

- PHIGH 30 cm H_2O
- 저산소혈증 정도에 따라 PLOW 0-5
- THIGH 5.0초
- TLOW 0.8초 — 최대호기류의 50%정도까지 기류가 감소할 정도로 조정한다.
- FiO_2 0.8

APRV를 적용해도 호전이 없는 경우 복와위자세(복와위 16시간, 앙와위 8시간)환기를 시작해야 한다. 산화질소 흡입은 저산소혈증에 사용해서는 안 된다. 이것은 심장쇼크에서 우심실부전의 치료를 위해 남겨둔다.

‡ 원하면 이것을 인쇄하여 각 환자의 침대에 게시해 놓을 수 있다.
§ PRVC는 서보인공호흡기에 있다. 다른 인공호흡기를 사용하는 경우 감속기류 (deceleration flow)가 있는 Volume Assist-Control (CMV with Autoflow, VC +, APVcmv 등으로도 알려짐)을 선택한다.

10
대유행 또는 다수사상자 발생 시 기계환기

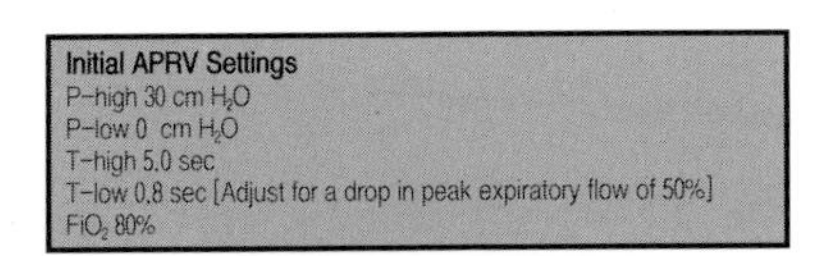

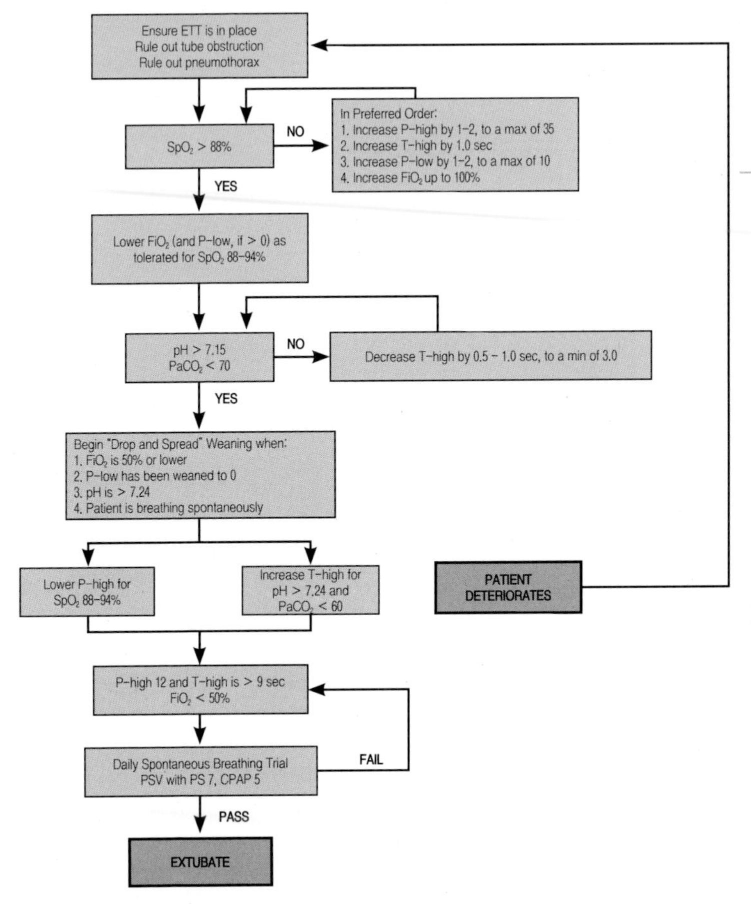

Notes:

In cases of morbid obesity or abdominal compartment syndrome, increasing the P-high to a max of 40 may be necessary

Hypotension that occurs after starting APRV is often due to hypovolemia-make sure the patient has an adequate intravascular volume

복와위자세(Prone position) 점검사항

복와위자세(prone position)의 적응증

다음과 같은 특징을 가진 저산소성 호흡부전 :

- 높은 PEEP 또는 APRV에도 불구하고 P/F ratio <150
- 미만양측폐침윤(diffuse bilateral lung infiltrates)
- CT상 배측경화(dorsal consolidation; CT촬영이 가능한 경우)

복와위자세(prone position)의 금기사항

- ICU 의료진에 대한 병원체 노출의 금지적 위험이 있는 경우(prohibitive risk of pathogen exposure to ICU staff)
- 불안정한 경추(unstable cervical spine)
- 중증 장골골절(long bone fractures)
- 복와위자세를 하기 어려운 해부학적 또는 치료적인 고려사항이 있는 경우

최소 필요 인원

기도 및 인공호흡기를 조절하는 호흡치료사 1명

4명의 돌리는 인력(RN, MD, PCT, RRT 또는 학생일 수 있음)

복와위자세 그 자체에 참여하지 않는 감독자 1명

회전과정(Turning Process)

A. 환자 준비

- 눈에 윤활제를 바르고 감은 눈꺼풀을 테이프로 고정
- 환자의 머리나 목에서 보석류를 제거
- 재갈(Bite blocks)들은 제거
- 필요한 진통제/진정제/신경근육차단제를 주사(bolus)
- SpO_2 및 E_TCO_2 모니터가 제자리에 있고 작동하는지 확인

B. 의료진 배치

- 환자 양쪽에 두 조로 돌리는 인력(총 4명)
- 머리, 기도 및 안면베개를 관리하는 환자 머리 쪽에 호흡치료사
- 가능하면 한 사람이 인공호흡기 튜브를 관리하고 백업을 제공
- 환자 다리 쪽에 있는 감독자

C. 환자에게 패드를 댄다(앙와위에서 복와위로 회전시키는 경우)

- 폼안면베개(foam face pillow)를 준비하고, 기관내관이 꼬이지 않았는지 확인한다(폼 패딩의 일부를 잘라내야 할 수도 있음).
- 가슴, 하부 골반 및 정강이에 각각 베개 2개
- 환자 위에 시트를 놓고(머리에서 발끝까지) 편안하게 감싸서 베개를 환자에게 묶는다.

D. 연결 해제

- 중심정맥라인(필요한 주사를 bolus 후)
- 동맥라인
- 혈액투석라인
- 심장모니터선

E. 환자를 돌린다. 감독자는 각 단계마다 구두 확인하고 이와 함께 팀원이 이를 복창해야 한다.

1. 감독자는 기도 및 인공호흡기 튜브가 호흡치료사에 의해 조절되고 있는지 확인한다.
2. 감독자는 모든 라인과 연결선이 분리되었는지 확인한다(회전과정을 방해하지 않는 한 SpO_2 및 E_TCO_2 모니터는 그대로 둘 수 있음).
3. 감독자의 카운트에 따라서 회전팀은 환자를 왼쪽으로 돌려 베개를 시트를 사용하여 몸에 단단히 고정한다.
4. 감독자가 재배치(repositioned)할 필요가 없음을 확인한다.
5. 감독자의 카운트에 따라서 회전팀은 환자를 복와위 또는 앙와위 위치로 전환하여 베개와 안면패드가 올바른 위치에 있는지 확인한다.
6. 호흡치료사는 기관내튜브가 적절한 깊이에 있고 튜브가 막히지 않았는지 적절한 E_TCO_2 파형을 관찰 감독자에게 보고한다.
7. 복와위인 경우, 돌리는 의료인력은 환자가 적절하게 패딩되어 있고 팔과 다리가 편안하게 배치되어 있는지 감독자

에게 보고한다.

8. 앙와위인 경우 돌리는 의료인력은 패딩을 제거한다.
9. 심장모니터선, 동맥라인을 다시 연결하고 주입을 다시 시작한다.

복와위자세는 16시간 동안 유지한 후 앙와위자세로 8시간 유지해야 한다. 눈과 구강 관리가 필수적이다. 튜브가 유문후(post-pyloric)에 있는 경우 복와위자세에서 경관영양공급(tube feeding)을 진행하는 것을 허용한다. 그렇지 않으면, 복와위상태에서는 경관영양공급을 중지하고 앙와위상태에서 영양공급 속도를 높인다.

> "제10장 대유행 또는 다수사상자 발생 시 기계환기"는 먼저 출판된 "The Ventilator Book(한글판)"에 수록된 바 있다. 그러나 COVID-19 대유행이 종식되지 않고 있고 또 이 책만 별도로 구입하는 독자들을 위해 저자의 허락을 받아 이책에도 수록하였다.

유용한 지식이 포함된 부록

(전문의 시험 또는 ICU 회진 시 필요하고 실제 환자에서도 가끔 필요하다!)

Alveolar Gas Equation

$PAO_2 = [(PB - PH_2 2{=}O) \times FiO_2] - (PaCO_2 / RQ)$

Simplified: $PAO_2 = 713(FiO_2) - 1.2(PaCO_2)$

Oxygen Content Equation

$CaO_2 = 1.34(Hgb)(SaO_2) + 0.003(PaO_2)$

정상 CaO_2: 20 mL O_2/dL blood

Oxygen Delivery Equation

$DO_2 = CaO_2 \times C.O. \times 10$

(C.O. = cardiac output in L/min)

정상 DO_2: 1000 mL O_2/min

Oxygen Consumption Equation

$VO_2 = (CaO_2 - CvO_2) \times C.O. \times 10$

(CvO_2는 폐동맥카테터에서 채취한 혼합정맥혈의 산소함유량이다.)

정상 VO_2: 250 mL O_2/min

Oxygen Extraction Ratio

$O_2ER = VO_2/DO_2$

Simplified: $O_2ER = (SaO_2 - SvO_2)/(SaO_2)$

정상 O_2ER 는 25%

Pulmonary Shunt Equation

$(CcO_2 - CaO_2)/ (CcO_2 - CvO_2)$

CcO_2는 폐모세혈관혈액의 산소함량(oxygen content)이다. 이것은 측정할 수 없기 때문에 산소포화도를 100%로 가정하고 PAO_2는 폐포가스방정식(alveolar gas equation)으로 추정한다.

정상폐단락: 3% 미만

P/F Ratio

P/F 비율

PaO_2/FiO_2, FiO_2는 소수점으로 표현된다(예: 50% 산소는 0.50으로 표시).

정상 P/F 비율은 500 이상

P/F 비율 <200 이면 보통 20%를 초과하는 단락률을 나타내며, 이는 환자가 여전히 기계환기가 필요하다는 것을 의미한다.

참고문헌

1. Hickling KG, Henderson SJ, Jackson R. Low mortality associated with low volume pressure limited ventilation with permissive hypercapnia in severe adult respiratory distress syndrome. Intensive Care Med 16: 372–377.
2. Hickling KG,Walsh J, Henderson S, Jackson R. Low mortality rate in adult respiratory distress syndrome using low-volume, pressure-limited ventilation with permissive hypercapnia: a prospective study. Crit Care Med 22: 1568-1578.
3. Ventilation with lower tidal volumes as compared with traditional tidal volumes for acute lung injury and the acute respiratory distress syndrome. The Acute Respiratory Distress Syndrome Network. N Engl J Med 342: 1301-1308.
4. Frumin MJ, Epstein RM, Cohen G. Apneic oxygenation in

man. Anesthesiology 20(6): 789-798.

5. Hotchkiss JR, Blanch L, Murias G, et al. Effects of decreased respiratory frequency on ventilator-induced lung injury. Am J Respir Crit Care Med 161: 463-468.
6. Laffey JG, O'Croinin D, McLoughlin P, Kavanagh BP. Permissive hypercapnia—role in protective lung ventilatory strategies. In Applied Physiology in Intensive Care Medicine 2 (pp. 111-120). Springer Berlin Heidelberg.
7. Akca O, Doufas AG, Morioka N, et al. Hypercapnia improves tissue oxygenation. Anesthesiology 97: 801-806.
8. Mekontso Dessap A, Charron C, Devaquet J, et al. Impact of acute hypercapnia and augmented positive end-expiratory pressure on right ventricle function in severe acute respiratory distress syndrome. Intensive Care Med 35: 1850-1858.
9. Petridis AK, Doukas A, Kienke S. et al. Acta Neurochir 152: 2143.
10. Beckman JS, Koppenol WH. Nitric oxide, superoxide, and peroxynitrite: the good, the bad, and ugly. Am J Physiol 271: C1424-C1437.
11. O'Croinin DF, Nichol AD, Hopkins N, et al. Sustained hypercapnic acidosis during pulmonary infection increases bacterial load and worsens lung injury. Crit Care Med 36: 2128-2135.
12. Higher versus lower positive end-expiratory pressures in patients with the acute respiratory distress syndrome. The National

Heart, Lung, and Blood Institute ARDS Clinical Trials Network. N Engl J Med 2004; 351: 327-336.

13. Crotti S, Mascheroni D, Caironi P, et al. Recruitment and derecruitment during acute respiratory failure: a clinical study. Am J Respir Crit Care Med 2001; 164:131–140.
14. Mercat A, Richard JC, Vielle B, et al. Positive end-expiratory pressure setting in adults with acute lung injury and acute respiratory distress syndrome: a randomized controlled trial. JAMA 2008; 299:646–655.
15. Washko GR, O'Donnell CR, Loring SH. Volume-related and volume-independent effects of posture on esophageal and transpulmonary pressures in healthy subjects. J Appl Physiol 2006; 100:753–758.
16. http://www.coopersurgical.com/Products/Detail/Esophageal-Balloon-Catheter-Set
17. Talmor D, Sarge T, Malhotra A, et al. Mechanical ventilation guided by esophageal pressure in acute lung injury. N Engl J Med 2008; 359:2095–2104.
18. Chiumello D, Cressoni M, Carlesso E, et al. Bedside selection of positive end expiratory pressure in mild, moderate, and severe acute respiratory distress syndrome. Crit Care Med 2014; 42:252–264.
19. Gattinoni L, Carlesso E, Brazzi L, et al. Friday night ventilation: a safety starting tool kit for mechanically ventilated patients.

Minerva Anestesiol 2014; 80:1046–1057.

20. Peters JI, Stupka JE, Singh H, et al. Status asthmaticus in the medical intensive care unit: a 30-year experience. Respir Med 2012 Mar; 106(3):344-8.
21. Tassaux D, Jolliet P, Thouret JM, et al. Calibration of seven ICU ventilators for mechanical ventilation with helium-oxygen mixtures. Am J Respir Crit Care Med 1999;160(1): 22–32.
22. Venkataraman, ST. Heliox during mechanical ventilation. Respir Care 2006; 51(6):632-9.
23. Goyal S, Agrawal A. Ketamine in status asthmaticus: a review. Indian J Crit Care Med 2013; 17(3): 154-61.
24. Strayer RJ, Nelson LS. Adverse events associated with ketamine for procedural sedation in adults. Am J Emerg Med 26(9): 985–1028.
25. Kuyper LM, Paré PD, Hogg JC, et al. Characterization of airway plugging in fatal asthma. Am J Med 2003; 115: 6-11.
26. Guérin C, Reignier J, Richard JC, et al, PROSEVA Study Group. Prone positioning in severe acute respiratory distress syndrome. N Engl J Med 2013; 368: 2159.
27. Papazian L, Forel JM, Gacouin A, et al. Neuromuscular blockers in early acute respiratory distress syndrome. N Engl J Med 2010; 363: 1107-1116.
28. Gattinoni L, Tognoni G, Pesenti A, et al, Prone-Supine Study Group. Effect of prone positioning on the survival of patients

with acute respiratory failure. N Engl J Med 2001; 345: 568-573.

29. Guérin C, Gaillard S, Lemasson S, et al. Effects of systematic prone positioning in hypoxemic acute respiratory failure: a randomized controlled trial. JAMA 2004; 292: 2379-2387.
30. Taccone P, Pesenti A, Latini R, et al, Prone-Supine II Study Group. Prone positioning in patients with moderate and severe acute respiratory distress syndrome: a randomized controlled trial. JAMA 2009; 203: 1977-1984.
31. Forel JM, Roch A, Marin V, et al. Neuromuscular blocking agents decrease inflammatory response in patients presenting with acute respiratory distress syndrome. Crit Care Med 2006; 34: 2749-2757.
32. Gainnier M, Roch A, Forel JM, et al. Effect of neuromuscular blocking agents on gas exchange in patients presenting with acute respiratory distress syndrome. Crit Care Med 2004; 32: 113-119.
33. Adhikari NK, Burns KE, Friedrich JO, et al. Effect of nitric oxide on oxygenation and mortality in acute lung injury: systematic review and meta-analysis. BMJ 2007; 334(7597): 779.
34. Adhikari NK, Dellinger RP, Lundin S, et al. Inhaled Nitric Oxide Does Not Reduce Mortality in Patients With Acute Respiratory Distress Syndrome Regardless of Severity: Systematic Review and Meta-Analysis. Crit Care Med 2014; 42: 404–12.

35. Siobal MS, Kallet RH, Pittet JF, et al. Description and evaluation of a delivery system for aerosolized prostacyclin. Respir Care 2003; 48(8): 742-753.
36. Peek GJ, Mugford M, Tiruvoipati R, et al. Efficacy and economic assessment of conventional ventilatory support versus extracorporeal membrane oxygenation for severe adult respiratory failure (CESAR): a multicentre randomised controlled trial. Lancet 2009; 374: 1351-1363.
37. Ferguson ND, Cook DJ, Guyatt GH, et al. High-frequency oscillation in early acute respiratory distress syndrome. N Engl J Med 2013; 368: 795-805.
38. Young D, Lamb SE, Shah S, et al. High-frequency oscillation for acute respiratory distress syndrome. N Engl J Med 2013; 368: 806-813.

저자에 대하여

William Owens, MD는 미국 South Carolina주 Columbia의 3차 병원인 Palmetto Health Richland의 내과 중환자 실장을 맡고 있다. 그는 또한 Palmetto Health-USC Medical Group의 호흡기, 중환자, 수면의학과장이자 South Carolina University의 임상의학 부교수도 맡고 있다. 피츠버그 의과대학 교수도 역임한 바 있다.

Dr. Owens는 The Citadel and the University of South Carolina School of Medicine을 졸업했다. 그는 LA의 Baton Rouge에 있는 Earl K. Long Medical Center에서 응급의학 수련을 받았다. 그는 또한 Florida주 Tampa에 있는 University of South Florida in Critical Care Medicine에서 전임의를 마쳤다. 응급의학과, 중환자의학과, 신경외과중환자 전문의이며 지역 및 전 미국학회에서 강의하였고 또 전문의학저널에 논문을 발표하였다.

Dr. Owens는 그의 경력 내내 활동적인 임상의와 교육자였다. 그는 중증질환과 부상 환자들을 돌보는 가운데 의사, 간호사, 호흡치료사를 훈련시키는 것을 즐기며, 중환자치료에서 총체적인 접근법(holistic approach)을 굳게 믿고 있다. 그는 생리학을 합리적으로 적용하고 있으나 가정(assumptions)에 대해서는 항상 의심을 품고 있다.

Dr. Owens는 부인과 자유분방하게 크고 있는 세 명의 아이들과 함께 South Carolina주 Columbia에 살고 있다. 그는 또한 세인트버나드 종의 개와 6만 마리 정도의 벌과 함께 살고 있다. 또한 산악자전거 타기, 카약 급류타기, 라크로스 하기, 가족모험 등도 즐기며 살고 있다.

역자 후기

고 강단예권사(1934-2019)

2019년 8월 19일 월요일 오후 2:01분

"오빠! 엄마가 컨디션이 좋지 않고 머리는 열이 있고 그러셔요. 눈썹 날리게 바쁘겠지만 오늘 시간되면 약 갖고 들리셔요. 이삿짐 정리 잘하시고요."

미국연수 출발 일주일 전 짐정리에 정신이 없던 나는 갑자기 느닷없이 날아온 문자에 어리둥절하고 있었다. 바로 어제 들렀을 때도 별일 없으셨는데... 12년 전 폐암 수술을 받으시는 등 몸이 약하여서 평소 많이 의지하였던 아들의 출국이 얼마 남지 않아 예민해지셔서 그런가?'와 같은 여러 가벼운 생각과 함께 시간은 지나갔다. 오후 5시를 지나 퇴근한 아내의 차를 몰고 부모님 댁에 도착하여 어머님을 불러보았으나 반응이 없으셨다. 어제와는 너무나도 다른 상황에 상태 파악도 못한 체 본능적으로 119에 전화를 걸었다. 도착한 앰뷸런스에 동승해서야 어머님의 전신상태와 반응, 혈압, SaO_2 등을 볼 때 쇼크 상태임을 알 수 있었다.

응급실에서 기관삽관과 기계환기 그리고 젖산측정, 혈액배양, 항생제, 수액, 수축촉진제 등 sepsis bundle을 순식간에 시행하였음에도 당일 저녁 연속적으로 3번이나 심정지가 발생하면서 어머님은 회복이 어려운 길을 향해 내달리고 계셨다. CPR 후 ROSC가 되었다가 다시 울리는 심정지 경고음은 나의 귀와 나의 가슴을 너무나도 아프게 했다. 이후 어머님의 혈압이 안정되었고 인공호흡기를 이탈하는 등 회복되는 소견도 보였지만 다장기부전의 호전과 악화가 반복되다가 입원 28일만에 평안하게 그렇게도 소망하시던 주님 품에 안기셨다.

이 책의 제1장에 설명된 대로 패혈증에서는 산소소모량이 늘어나게 되고 기계환기, ECMO 등으로 추가적인 산소를 공급하여 혈중산소포화도를 높이더라도 조직에서 산소를 제대로 대사에 이용할 수 없는 상태가 되어 환자가 사망에 이르게 된다. 입원 첫 날 어머님의 임상경과와 검사수치 등을 회상해보니 호흡기내과를 전공했고 또 그 동안 수 많은 중환자들을 돌보아왔음에도 불구하고 산소공급과 산소소모의 임상적 의미에 대해 전체적인 이해가 부족했음을 알게 되었다. The Ventilator Book(한글판, 2ed)이 진료현장에서 기계환기의 방법론이라면 이 책은 기계환기와 관련된 호흡생리의 기초에서부터 ECMO에 이르기까지 기계환기 치료와 관련된 다양한 주제를 심도 깊게 설명한 책으로 두 책을 상호보완적으로 공부하면 기계환기를 깊게 이해하는데 큰 도움이 되리라 생각한다.

전에 읽었던 '오후 네 시의 루브르'란 책의 한 문장이 생각났다. *"내게 돌아가신 분의 사진은 머릿속에 남아 이리저리 날아다니는 지난날의 영상을 붙잡아 표본처럼 오래 간직하게 해주는 잠자리채와 같았다."* 80평생 자녀들을 위해 수고하셨고 또 너무나 큰 은혜와 사랑을 베풀어 주셨던 어머님의 영정사진을 역자후기에 남겨 나의 어머님에 대한 추억과 존경과 감사를 표본처럼 오래 간직하고 싶었다.

어머님 정말로 감사합니다. 주님 품안에서 편히 쉬십시오.

2021년 5월

부족한 아들 명재 올림